castalia didáctica

Director:
Pedro Álvarez de Miranda

ANTONIO BUERO VALLEJO

El tragaluz

*Con cuadros cronológicos,
introducción, bibliografía, notas y
llamadas de atención,
documentos y orientaciones
para el estudio
a cargo de*

José Luis García Barrientos

Queda prohibida la reproducción total o parcial de esta publicación, o su tratamiento informático, su transmisión en cualquier forma o por cualquier medio, ya sea electrónico, mecánico, por fotocopia, registro u otros métodos, sin el permiso previo y por escrito de los titulares del Copyright.

© Editorial Castalia, 1985

Editorial CASTALIA

© Editorial Castalia, 1986
Zurbano, 39 - 28010 Madrid - Tel. 319 58 57
Cubierta de Víctor Sanz
Impreso en España - Printed in Spain
Unigraf, S. A. Móstoles (Madrid)
I.S.B.N.: 84-7039-455-X
Depósito Legal: M. 27.161-1991

SUMARIO

Para Antonia o la belleza

BUERO VALLEJO Y SU TIEMPO

Año	Acontecimientos históricos	Vida cultural y artística
1916		Nacen C. J. Cela y B. de Otero.
1917	Revolución socialista rusa.	J. R. Jiménez, *Platero y yo*. Pirandello, *Así es si así os parece*.
1923	Dictadura de Primo de Rivera.	Fundación de la «Revista de Occidente».
1926	Fin de la guerra de África.	Unamuno, *El otro*.
1930	Pacto republicano de San Sebastián. Pronunciamiento de Jaca.	Valle-Inclán, *Martes de carnaval* (esperpentos). Pirandello, *Esta noche se improvisa*.
1931	II República. Aprobación de la Constitución. Crisis económica mundial.	Unamuno, *San Manuel Bueno, mártir*.
1932	Ley de Bases de la Reforma Agraria. Pronunciamiento de Sanjurjo.	Aleixandre, *Espadas como labios*.
1933	Hitler en el poder. «New Deal» (Roosevelt).	Lorca, *Bodas de sangre*. Salinas, *La voz a ti debida*.
1934	Revolución de Octubre en Cataluña y Asturias.	Lorca, *Yerma*. Casona, *La sirena varada*.
1936	Victoria del Frente Popular. Sublevación militar. Guerra civil. Eje Berlín-Roma.	Lorca, *La casa de Bernarda Alba*. Juegos olímpicos de Berlín. Cernuda, *La realidad o el deseo*.
1937	Guerra civil.	Exposición de artes y técnicas de París. Picasso, *Guernica*.
1938	Guerra civil.	Brecht, *Terror y miseria del III Reich*. Sartre, *La náusea*.
1939	Termina la guerra civil. Pío XII, papa: encíclica «Con inmenso gozo» sobre el fin de la guerra española. Comienza la II Guerra Mundial.	Alberti, *Capital de la gloria*. M. Hernández, *El hombre acecha*. Vallejo, *Poemas humanos* (póstumo). Brecht, *Madre Coraje y sus hijos*.

Vida y obra de Antonio Buero Vallejo

Nace el 29 de septiembre en Guadalajara, hijo de D. Francisco Buero, militar, y de D.ª María Cruz Vallejo. La pintura será su vocación durante la niñez, adolescencia y juventud. En la biblioteca paterna despierta su afición por la literatura y el teatro.

Inicia sus estudios de Bachillerato. Lecturas infantiles: Dumas, Hugo, Shakespeare, Galdós, autores del 98... y, sobre todo, obras de teatro.

Comienza a interesarse por la política. Descubre a Ibsen: entusiasmo por *Espectros* y *Casa de muñecas*.

Crisis religiosa. Tensiones familiares originadas por la profesión paterna.

Obtiene el primer premio de un concurso literario para alumnos del Instituto y Magisterio con la narración «El único hombre».

Termina los estudios de Bachillerato.

Ingresa en la Escuela de Bellas Artes de San Fernando. Traslado familiar a Madrid. Interés centrado en la generación del 98. Asiste al brillante panorama cultural de Madrid y a cuantas representaciones puede.

Se afilia a la F.U.E. Da clases nocturnas de pintura para obreros en la Universidad de San Bernardo. Son encarcelados su padre y su hermano Francisco, también militar. Su padre es fusilado.

Se incorpora al ejército republicano. Destinado a un batallón de Infantería. Pasa a la oficina de la Jefatura de Sanidad de la 15 División (frente del Jarama).

Traslado al Ejército de Maniobra (frente de Aragón). Pasa al Ejército de Levante.

Fin de la guerra, en Valencia. Veinte días en el campo de concentración de Soneja (Alicante). Pasa a Madrid, donde realiza un «trabajo político clandestino pero incruento». Detenido y condenado a la pena de muerte «por adhesión a la rebelión». Ingresa en la prisión Conde de Toreno, donde traba amistad con Miguel Hernández.

Año	Acontecimientos históricos	Vida cultural y artística
1940	Entrevista Franco-Hitler. Asesinato de Trostki. Pacto Eje-Japón.	Jardiel Poncela, *Eloísa está debajo de un almendro.*
1944	Guerrillas antifranquistas en los Pirineos.	D. Alonso, *Hijos de la ira.* Borges, *Ficciones.*
1945	Creación de la O.N.U. Bombas atómicas sobre Hiroshima y Nagasaki. Fin de la Guerra Mundial.	Brecht, *El círculo de tiza caucasiano.* Eisenstein, *Iván el terrible.* Rossellini, *Roma, ciudad abierta.*
1946	IV República francesa. Condena del régimen de Franco en la O.N.U.	Fundación de la UNESCO. M. Frisch, *La muralla china.*
1947	Guerra fría. Plan Marshall.	Genet, *Las criadas.* T. Williams, *Un tranvía llamado deseo.*
1948	Asesinato de Gandhi. Creación del Estado de Israel.	Delibes, *La sombra del ciprés es alargada.*
1949	República Popular China. Creación de la OTAN.	J. R. Jiménez, *Animal de fondo.* Rosales, *La casa encendida.* A. Miller, *Muerte de un viajante.* Borges, *El Aleph.* Camus, *Los justos.*
1950	Retorno de embajadores a Madrid. «Caza de brujas» (Mc. Carthy). Guerra de Corea.	Ionesco, *La cantante calva.* B. de Otero, *Ángel fieramente humano.* Neruda, *Canto general.*
1952	Plan Badajoz. Ingreso de España en la UNESCO.	Estreno de *Tres sombreros de copa* (1932), de Mihura. Sender, *Réquiem por un campesino español.* J. Hierro, *Quinta del 42.*
1953	Concordato con la Santa Sede. Muerte de Stalin.	Beckett, *Esperando a Godot.* A. Miller, *Las brujas de Salem.* Estreno de *Escuadra hacia la muerte* (1949), de Sastre.
1954	Comienza la guerra de Argelia. Primer submarino atómico.	A. Castro, *La realidad histórica de España.*
1956	Independencia de Marruecos. Conflicto de Suez. Sublevación húngara.	Sastre, *Drama y sociedad.* Sánchez Ferlosio, *El Jarama.* J. R. Jiménez, premio Nobel. Sánchez Albornoz, *España, un enigma histórico.*

Vida y obra de Antonio Buero Vallejo
Conmutada la pena de muerte por la de treinta años de prisión. Traslados a Yeserías y a la Colonia penitenciaria del Dueso (Santoña).
Aproximadamente en este año, traslado a Santa Rita (Madrid).
Aproximadamente en este año, traslado a Ocaña. Idea el argumento de *En la ardiente oscuridad*.
Libertad condicional, con destierro de Madrid. Dibuja para ganarse la vida. En una semana de agosto escribe *En la ardiente oscuridad* (primera versión).
Le afecta un indulto total. Puede residir en Madrid. Escribe *Historia de una escalera* (agosto).
Escribe en seis días *Las palabras en la arena*.
Escribe *El terror inmóvil* (marzo) y la primera versión de *Aventura en lo gris* (verano). HISTORIA DE UNA ESCALERA (Teatro Español, 14-X): Premio «Lope de Vega», convocado por el Ayuntamiento de Madrid tras quince años de suspensión. Gran éxito. Acontecimiento cultural LAS PALABRAS EN LA ARENA (Teatro Español, 19-XII, sesión única): Premio de la Asociación de Amigos de los Quintero.
Versión cinematográfica de *Historia de una escalera*. EN LA ARDIENTE OSCURIDAD (Teatro María Guerrero, 1-XII): Crítica y público, divididos. Muy revalorizada por la crítica posterior.
LA TEJEDORA DE SUEÑOS (Teatro Español, 11-I): Crítica dividida. LA SEÑAL QUE SE ESPERA (Teatro Infanta Isabel, 21-V): Crítica adversa.
CASI UN CUENTO DE HADAS (Teatro Alcázar, 10-I): Reacción adversa de crítica y público. MADRUGADA (Teatro Alcázar, 9-XII): Crítica casi unánimemente favorable.
Publicación de *Aventura en lo gris* (la censura no autorizó la representación) y del segundo acto de *El terror inmóvil*. IRENE O EL TESORO (Teatro María Guerrero, 14-XII): Opiniones encontradas de la crítica.
HOY ES FIESTA (Teatro María Guerrero, 20-IX): Escrita en 1954 y retenida dos años por la censura. El mayor éxito desde *Historia*... Premios María Rolland, Nacional de Teatro y de la Fundación Juan March.

Año	Acontecimientos históricos	Vida cultural y artística
1957	Conflicto de Ifni. «Pacto de París» entre fuerzas de la oposición. Primer sputnik soviético.	Camus, premio Nobel. Aldecoa, *Gran sol.*
1958	Juan XXIII, papa. Primer satélite norteamericano. De Gaulle y la V República francesa.	M. Hernández, *Cancionero y romancero de ausencias* (póstumo). Arrabal, *Los hombres del triciclo.*
1959	Plan de estabilización. Victoria de Fidel Castro en Cuba. Mercado Común.	Sastre, *Guillermo Tell tiene los ojos tristes.* Ionesco, *Rinoceronotes.*
1960	Superávit en el comercio exterior de España.	Espriu, *La pell de brau.* López Salinas, *La mina.* García Hortelano, *Nuevas amistades.*
1961	Kennedy, presidente de EE.UU. Muro de Berlín. Gagarin, primer astronauta en el espacio.	Estreno de *La Atlántida,* de Falla y Halffter. Buñuel, *Viridiana.*
1962	Huelgas en Asturias. Independencia de Argelia. Crisis de Cuba. Concilio Vaticano II.	L. Olmo, *La camisa.* Zubiri, *Sobre la esencia.* Martín Santos, *Tiempo de silencio.*
1963	Plan de Desarrollo. Ejecuciones de Grimau y los anarquistas Granado y Delgado. Pablo VI, papa. Asesinato de Kennedy.	Gala, *Los verdes campos del Edén.* Torrente Ballester, *Don Juan.* Cortázar, *Rayuela.*
1964	«Veinticinco años de paz». Destitución de Kruschev.	Barthes, *Elementos de Semiología.*
1966	Manifiesto de CC.OO. Polémica Carrillo-Claudín (P.C.E.).	Delibes, *Cinco horas con Mario.* J. Goytisolo, *Señas de identidad.* R. Carr, *España (1808-1939).*
1967	Carrero, vicepresidente del Gobierno. Guerra árabe-israelí. Muerte de «Che» Guevara. «Populorum progressio».	García Márquez, *Cien años de soledad.* Asturias, premio Nobel. Arrabal, *El arquitecto y el emperador de Asiria.*
1968	Independencia de Guinea. Mayo francés. Intervención militar en Checoslovaquia.	Estreno de *Marat-Sade,* de P. Weiss (versión de Sastre). Auge de la «cançó» catalana. Ruibal, *El hombre y la mosca.*
1969	El hombre llega a la Luna.	Buñuel, *Tristana.*

Vida y obra de Antonio Buero Vallejo
LAS CARTAS BOCA ABAJO (Teatro Reina Victoria, 5-XI): Éxito en el estreno. Crítica poco favorable. Premio Nacional de Teatro.
Publica el ensayo *La tragedia,* considerado su ideario dramático. UN SOÑADOR PARA UN PUEBLO (Teatro Español, 18-XII): Acogida polémica en medios intelectuales.
Se casa con Victoria Rodríguez (actriz que había hecho el papel de Daniela en *Hoy es fiesta),* con la que tendrá dos hijos.
LAS MENINAS (Teatro Español, 9-XII): El mayor éxito de público hasta entonces (260 representaciones ininterrumpidas).
Versión de *Hamlet,* de Shakespeare (Teatro Español, 15-XII).
EL CONCIERTO DE SAN OVIDIO (Teatro Goya, 16-XI): Uno de los éxitos más rotundos del autor. Premio Larra de la revista *Primer Acto.*
Obtiene permiso para salir de España. Muerte («sumamente dolorosa» para el autor) de su madre, que había vivido siempre con él. Firmante del documento de protesta por la represión de la huelga de mineros en Asturias: Represalias. AVENTURA EN LO GRIS (Teatro Club Recoletos, 1-X): Críticas muy duras. Ocho días en cartel.
Escribe *La doble historia del doctor Valmy.* Problemas con la censura.
Conferencias en universidades de Estados Unidos. Versión de *Madre Coraje,* de Brecht (Teatro Bellas Artes, 6-X), escrita en 1961 y retenida por la censura.
Publicación en Estados Unidos de *La doble historia del doctor Valmy.* EL TRAGALUZ (Teatro Bellas Artes, 7-X): El mayor éxito de público hasta entonces: más de quinientas representaciones y gira por España. Críticas predominantemente elogiosas, aunque no faltan los ataques.
Publicación de *Mito,* libreto para una ópera, escrito por encargo de Cristóbal Halffter y que no llegó a representarse. Estreno de *La doble historia de doctor Valmy* en versión inglesa (Gateway Theatre de Chester, 23-XI): Crítica muy favorable.

Año	Acontecimientos históricos	Vida cultural y artística
1970	Consejo de Guerra de Burgos. Mueren Nasser y De Gaulle. Allende, presidente de Chile.	Tábano, *Castañuela 70*. Saura, *El jardín de las delicias*. Sastre, *La revolución y la crítica de la cultura*.
1971	China Popular, en la O.N.U. Tarancón, arzobispo de Madrid.	Nieva, *La carroza de plomo candente*.
1972	Escándalo Watergate (reelección de Nixon).	Torrente Ballester, *La saga/fuga de J.B.*
1974	Crisis económica internacional.	Aleixandre, *Diálogos del conocimiento*.
1975	Muerte de Franco. Juan Carlos I, rey de España.	Martín Santos, *Tiempo de destrucción* (póstumo).
1976	Suárez, presidente del Gobierno. Referéndum para la Reforma Política. Muerte de Mao Zedong.	Estreno de *El adefesio*, de Alberti. Diario «El País».
1977	Legalización del P.C.E. Elecciones generales.	Aleixandre, premio Nobel.
1978	Promulgación de la Constitución (6-XII). Juan Pablo II, papa.	Lindsay Kemp en España: *Flowers, Salomé*.
1979	Elecciones generales y municipales: Gobierno de U.C.D. Revolución islámica en Irán.	J. Fernández Santos, *Extramuros*.
1981	Dimisión de Suárez. «23 de Febrero». Crisis de Polonia. Mitterrand, presidente de Francia.	
1982	Triunfo electoral del P.S.O.E.: Gobierno González. Crisis del P.C.E.: dimisión de Carrillo. Invasión del Líbano.	García Márquez, premio Nobel. F. Fernán-Gómez, *Las bicicletas son para el verano* (estreno).
1984		

Vida y obra de Antonio Buero Vallejo
Viaje a Estados Unidos (Simposio de Teatro Español, Chapel Hill). EL SUEÑO DE LA RAZÓN (Teatro Reina Victoria, 6-II): Moderado éxito de público. Críticas bastante favorables. Premio «El Espectador y la Crítica».
Elegido por unanimidad miembro de la Real Academia Española. LLEGADA DE LOS DIOSES (Teatro Lara, 17-IX): Éxito de público. Críticas dispares.
Discurso de ingreso en la Real Academia Española: «García Lorca ante el esperpento».
LA FUNDACIÓN (Teatro Fígaro, 15-I): Éxito de crítica y público.
LA DOBLE HISTORIA DEL DOCTOR VALMY (Teatro Benavente, 29-I): Más de seiscientas representaciones. Crítica unánimemente favorable.
LA DETONACIÓN (Teatro Bellas Artes, 20-IX): Acogida desigual de la crítica.
Publica *El terror inmóvil* (versión íntegra). JUECES EN LA NOCHE (Teatro Lara, 2-X): Crítica predominantemente adversa.
CAIMÁN (Teatro Reina Victoria, 10-IX): Éxito de público.
Versión de *El pato silvestre*, de Ibsen (Teatro Lope de Vega, Sevilla, 13-I).
DIÁLOGO SECRETO (Teatro Victoria Eugenia, San Sebastián, 6-VIII).

Nota: los títulos de las obras de Buero Vallejo se han impreso en versalitas cuando se quería consignar su estreno en el año correspondiente, que no siempre coincide con el año en que fueron escritas o publicadas. Los teatros citados como marco de los sucesivos estrenos son madrileños, excepto los tres cuya localización se especifica (ver 1968, 1982 y 1984).

Introducción

1. Buero Vallejo y el teatro español de la segunda mitad del siglo XX

A diferencia de cualquier otro género de obra literaria, cuya forma de recepción propia es la lectura individual, las obras dramáticas, si bien pueden ser *también* leídas, encuentran su modo de comunicación natural en la representación escénica. Su destino es el teatro y, a través de él, su genuino destinatario, un público socialmente constituido y determinado. La doble vida (privada y pública: literaria y teatral) del drama no alcanza en todos los casos un desarrollo equilibrado. Piénsese, por ejemplo, en el éxito o aceptación del drama benaventino en el teatro de la primera mitad de nuestro siglo, mientras que la dramaturgia de Valle Inclán, desde luego más original y valiosa, no tuvo acceso a la escena: el teatro le cerró sus puertas, reduciéndola a una existencia libresca. Es desde esta doble perspectiva desde la que pretendemos examinar la aportación de Antonio Buero Vallejo al teatro español contemporáneo.

Más de treinta años de ejercicio dramático y comparecencia teatral, junto con la copiosa bibliografía crítica que ha suscitado, permiten hoy, con suficientes garantías de objetividad, intentar una valoración de la producción dramática de Buero, si no en términos absolutos, sí al menos en relación con el drama y el teatro españoles de ese largo período de tiempo que va desde el primero (1949) hasta su último estreno (1984) y que ya parece abusivo etiquetar de «posguerra».

La crítica más solvente considera casi unánimemente la obra dramática de Buero Vallejo, en su conjunto, como la más importante de las que se producen en España desde la guerra civil hasta nuestros días. A esta valoración, de orden estético, se añade, desde una perspectiva socioliteraria, la consideración de su teatro como el más *representativo* de la difícil época en que se desarrolla y de la que es testimonio y proceso. Ricardo Doménech llega a afirmar:

> no encuentro, hablando en términos generales, una obra literaria que en su conjunto exprese tan puntual, tan exacta y tan profundizadamente lo que ha sido el oscuro vivir español de las últimas décadas: creo que en este punto Buero Vallejo aventaja a casi todos los escritos contemporáneos, cualquiera que sea su medio de expresión, e incluso el discurso histórico y el discurso filosófico.[1]

Si el resultado de su quehacer literario es la dramaturgia más importante y representativa de su tiempo, el balance de su empeño teatral puede cifrarse en el estreno de todas sus obras, excepto dos: *Mito,* libreto para una ópera, y *El terror inmóvil,* drama primerizo, no carente de interés, pero insostenible sobre un escenario, a nuestro juicio. Con dos excepciones también *(Aventura en los gris* y *La doble historia del doctor Valmy)* los estrenos se producen a un ritmo más o menos acompasado con la terminación de cada obra. Muy pocos dramaturgos de este tiempo —y ninguno que compartiera los supuestos ideológicos de Buero— han podido, como él, mantener esa continuada relación con el público, que si parece necesaria para el desarrollo normal de cualquier dramaturgia, en el caso de la de Buero —y se trata de un tema por estudiar— resulta decisiva.

El éxito imprevisto de su primer estreno, *Historia de una escalera,* y sobre todo el acontecimiento que supuso en el endeble panorama teatral de la primera década de posguerra, constituyen un punto de partida favorable para la carrera escénica del autor. Pero agotado el efecto de sorpresa e identificado el dra-

---

[1] *El teatro de Buero Vallejo,* Madrid, Gredos, 1973, p. 300.

maturgo como perteneciente al bando republicano derrotado en la guerra, con una condena a muerte, además, a sus espaldas, no es difícil imaginar los obstáculos que debió superar para llevar a la tribuna *pública* de los escenarios sus sucesivas piezas. Lo consiguió sin traicionar los principios estéticos e ideológicos, muy claros y firmes desde el comienzo, que siguen presidiendo sin variaciones esenciales la concepción de sus obras: *exigencia ética* en la dimensión individual y social, *visión trágica* e *investigación formal*. Sin permitirse concesión alguna a la complacencia o la facilidad, Buero impone su teatro asumiendo una actitud «posibilista», muy discutida en medios intelectuales de la izquierda, pero que hoy, distanciados ya de la polémica, consideramos no sólo legítima sino también fecunda.

El contexto teatral español

La pobreza del teatro español al término de la guerra civil contrasta con la vitalidad de los años anteriores. El balance de pérdidas es abultado en número y calidades. Entre 1936 y 1939 mueren Valle Inclán, García Lorca, Antonio Machado y Unamuno. De otro lado, el exilio aparta de nuestros escenarios a autores como Jacinto Grau, Salinas, Alberti, Casona, Max Aub, y a gentes de teatro de la talla de Margarita Xirgu (actriz), Cipriano Rivas Cherif (director) o Enrique Díez-Canedo (crítico).

Ricardo Doménech ha resumido así el panorama teatral de la primera década de la posguerra (1939-1949): el favor del público es casi en exclusiva para un teatro degradado, que incluye manifestaciones musicales y pseudofolklóricas; prolongan su presencia en los escenarios las viejas glorias (Benavente, Arniches, Álvarez Quintero, Marquina) sin producir ya nada verdaderamente nuevo o estimable; se estrena un teatro de consumo, estéticamente fiel al modelo benaventino e ideológicamente de derechas (Pemán, Luca de Tena) o evasionista (Ruiz Iriarte, López Rubio); por fin, el único interés reside en la última producción de Jardiel Poncela y algunas piezas de Miguel Mihura, dentro del género cómico de humor inofensivo.

El estreno de *Historia de una escalera* en 1949 abre una nueva etapa del teatro español. El éxito supera todas las previsiones. La obra alcanza 187 representaciones, lo que obliga a suspender la tradicional reposición del *Tenorio* en El Español, programada para el 1 de noviembre, 15 días después del estreno de Buero, cuyo impacto ha explicado así Torrente Ballester: «En 1949, el público madrileño, harto de convenciones teatrales, acudía a las representaciones de *Historia de una escalera* a contemplar algo más hondo que la realidad —porque la mentira es una forma de realidad—. Iba a ver la verdad, sencillamente.»[2] Hoy la obra nos parece una primera cristalización de elementos del universo dramático de Buero, que se plasman con mayor acierto y profundidad en algunos de los dramas más logrados y ambiciosos que escribirá más tarde. Bastaba una obra digna, que hablaba en serio de cosas serias y reales, para constituir un acontecimiento en la escena española de 1949.

Junto a la producción ya en marcha de Antonio Buero, dos estrenos parecen llamados a abrir, al iniciarse la siguiente década, otros caminos de renovación para nuestro teatro: *Tres sombreros de copa* (1952), de Miguel Mihura, y *Escuadra hacia la muerte* (1953), de Alfonso Sastre. La obra de Mihura es seguramente la mejor comedia que ha dado nuestro teatro desde que se escribió, veinte años antes de ser estrenada por el T.E.U. de Madrid. Sin embargo, la línea innovadora que marcaba no tuvo continuación, ni siquiera por parte de su autor, que se decidió por una dramaturgia más «amable» y de textura más convencional. El estreno de Alfonso Sastre supuso la revelación de un dramaturgo «comprometido» de innegable calidad. Pero sus planteamientos, más radicales quizás y ciertamente más vinculados a una tendencia ideológica que los de Buero, hacen cada vez más difícil su presencia en los escenarios.

La frustración teatral será también el denominador común del grupo de dramaturgos que, con Buero y Sastre como cabezas de fila, integra la llamada «generación realista». La década de los sesenta se abre con la notoria presencia en los escenarios espa-

---

[2] *Teatro español contemporáneo*, Madrid, Guadarrama, 1968, 2.ª ed., p. 137.

ñoles de tales autores, que comparten una estética —el realismo— y una actitud de protesta y denuncia social. Además de *Las Meninas* y *El concierto de San Ovidio,* dos de los mejores dramas de Buero, se estrenan *La cornada* y *En la red,* de Sastre; *La camisa* de Lauro Olmo; *Los inocentes de la Moncloa,* de Rodríguez Méndez; *El tintero,* de Carlos Muñiz; *Un hombre duerme,* de Rodríguez Buded, etc. Ninguno de ellos, sin embargo, verá consolidada su carrera teatral. O terminaron renunciando a escribir para el teatro o continuaron una creación dramática marginada, a su pesar, de los escenarios. Distinto es el caso de Antonio Gala, que se dio a conocer en 1963 con *Los verdes campos del Edén* y que ha logrado afianzar su presencia en el teatro hasta un punto comparable únicamente en la actualidad con el de Buero.

La última generación etiquetada por la crítica, la del «nuevo teatro español», tampoco ha conseguido afirmarse en los escenarios. Wellwarth caracterizó la obra de estos autores (Ruibal, Castro, Bellido, Martínez Mediero, Martínez Ballesteros, Matilla, Riaza, Nieva) como «underground», y sigue, en su mayor parte, sin subir a los escenarios. Se trata, desde una estética no realista y un talante vanguardista, de un intento de renovación muy ligado en sus inicios a los grupos de «teatro independiente». Para la expresión de unos contenidos marcadamente críticos, de índole sobre todo política, es frecuente el recurso a la abstracción, el simbolismo e incluso la parábola.

Si en buena medida el fracaso de tantas propuestas teatrales y la frustración de tantas carreras dramáticas se podía atribuir a la presión de un sistema política y culturalmente represivo, el franquismo, la restauración democrática alumbró la esperanza de una auténtica eclosión que permitiese oír, por fin, las voces durante tanto tiempo silenciadas. Los intentos, ciertamente aislados, de «recuperar» autores tanto del grupo realista como de los *nuevos* e incluso del exilio, no se han visto coronados por el éxito. Tampoco han surgido nuevos valores indiscutibles. La generalizada marginación del teatro sigue siendo, desde Sastre hasta Nieva, la «situación» de la mayoría de nuestros dramaturgos.

Además de por la innegable calidad de su obra, por causas muy complejas que corresponde a la sociología del teatro desvelar, es precisamente Buero Vallejo el autor que preside la escena española de la segunda mitad del siglo, como Benavente presidió la primera. Las páginas que siguen pretenden ofrecer algunas «claves» de su teatro, que sirvan de orientación para transitarlo y, en particular, faciliten la lectura de *El tragaluz*, obra que, sin ser quizás la mejor del autor, ofrece una de las síntesis más apretadas de los elementos característicos de su dramaturgia.

2. Un teatro ético: la pasión de la verdad

En el centro mismo de las constantes que sirven de fundamento a la unidad de este teatro se encuentra el propósito que mueve al dramaturgo a escribir y (re)presentar sus obras. Podría hablarse de dos especies de escritores: los «moralistas» (en el mejor sentido), llámense realistas críticos, comprometidos, rebeldes, etc., y los «artistas» (en acepción restrictiva) o independientes, estetas, realistas testimoniales, etc. Los primeros se proponen cambiar la vida, la sociedad, con la obra artística. Bertolt Brecht es un ejemplo eminente. Los segundos transforman la realidad —tal como es— en obra artística. Shakespeare puede considerarse su máximo representante entre los dramaturgos. Buero Vallejo pertenece, sin asomo de duda, a los primeros. El suyo es, ante todo e invariablemente, un teatro ético.

Sin una sola excepción, sus obras plantean, como resorte fundamental, un problema moral, una crisis de valores éticos (la búsqueda de la verdad y la libertad) y postulan una transformación del hombre y de la sociedad como horizonte esperanzador. Esta unidad de propósito recorre por igual las obras ambientadas en la realidad contemporánea (de *Historia de una escalera* a *Diálogo secreto*), en el mito *(La tejedora de sueños)* o en la historia (de *Un soñador para un pueblo* a *La detonación)*; se manifiesta con la misma intensidad en un libreto en verso para ópera cuya acción se desarrolla en el futuro *(Mito)* o en la adaptación de una fábula de Perrault *(Casi un cuento de hadas)* que en el tratamiento del tema de la tortura *(La doble historia del doctor Valmy)* o en el drama que transcurre en una celda ocupada por presos políticos *(La fundación)*.

El conflicto esencial de la dramaturgia bueriana consiste en la lucha del hombre por *alcanzar la verdad,* difícil y dolorosa siempre, para lo que es preciso *desenmascarar la mentira* en que confortablemente vive instalado. Así, «el problema de la verdad se orienta resueltamente hacia una dimensión ética. Hay un imperativo fundamentalmente humano: el de saber. Y, por otra parte, hay un obstáculo: nuestro orgullo, nuestro egoísmo. La verdad es muy dura, demasiado dura; es imposible asumirla».[3] La mentira inicial sobre la que han construido sus vidas, está en el origen de la trágica experiencia de la pareja central en *Las cartas boca abajo.* La función dramática de Ignacio es desenmascarar la mentira que sustenta la «feliz» institución para ciegos de *En la ardiente oscuridad.* El progresivo desentrañamiento de la verdad es el camino que recorren juntos el protagonista, Tomás, y los espectadores de *La Fundación.* La terrible verdad, el crimen de Vicente, cometido en el pasado pero perpetuado en el presente, es el resorte que mueve a los personajes centrales de *El tragaluz.* El propio Vicente persigue sin saberlo esa verdad, que para él significa el castigo, la muerte.

No es la afirmación de la verdad del autor ni siquiera de la Verdad con mayúscula lo que este teatro propone, sino la necesidad de conquistar la verdad de cada uno, como principio ético fundamental. Sólo a partir de este logro será fundada la esperanza en un hombre y un mundo verdaderamente «humanos». Dicho de otra manera, el teatro de Buero no ofrece *sus* respuestas al espectador, sino que plantea interrogantes esenciales que él mismo debe resolver, y no en el ámbito de la ficción, sino en la vida. Es en la relación entre drama y espectador en la que la función moralizadora del teatro de Buero alcanza su dimensión más auténtica y coincide, en profundidad, con los propósitos del teatro épico de Bertolt Brecht.

---

[3] Jean Paul Borel, *Teatro de lo imposible,* Madrid, Guadarrama, 1966, p. 238.

La exigencia ética desborda la esfera de lo individual: «para que el acto moral sea positivo, es necesaria su proyección en los demás. Estos actos aparentemente morales, lo serán verdaderamente cuando se hayan realizado en el entorno social».[4] Este entorno cumple generalmente la función dramática de *obstáculo*. La sociedad (el mundo) aparece así como el reino de la mentira, el egoísmo, la explotación y la opresión, al que deberán enfrentarse, sucumbiendo en muchas ocasiones, los héroes buerianos, en su lucha por alcanzar la verdad, el amor, la solidaridad y la libertad. Ignacio tendrá que enfrentarse al falso clima de bienestar creado en el Centro para proclamar la tremenda verdad de la ceguera de todos y la necesidad —irrenunciable por imposible que sea— de alcanzar la «luz» *(En la ardiente oscuridad);* el «sueño» de Esquilache chocará con la España oscurantista de su época *(Un soñador para un pueblo);* Velázquez se verá acosado por el ambiente inquisitorial de la corte de Felipe IV, ante el que terminará proclamando la «verdad», que había mantenido, como su Venus, oculta *(Las Meninas);* la sociedad en su conjunto, desde el explotador Valindin hasta sus propios compañeros de ceguera, se alzará como obstáculo ante el empeño liberador de David *(El concierto de San Ovidio);* se trata, en fin, del enfrentamiento de Goya con el absolutismo *(El sueño de la razón),* de Amalia con los parientes de su marido *(Madrugada),* de Irene con el sórdido ambiente de la casa de Dimas *(Irene o el tesoro),* de Larra con la España de su tiempo *(La detonación),* etc.

Tan inexacto nos parece sostener que la sociedad sometida a proceso en la dramaturgia de Buero Vallejo es siempre y únicamente la española contemporánea (interpretación según la cual cualquier elemento distanciador o generalizante respondería a la estrategia «posibilista» del autor para eludir la censura) como ignorar que es a ella, aunque en ella no se agote, a quien apunta principalmente la crítica. La sociedad española, de la posguerra, del franquismo y de la transición democrática, está directa-

---

[4] Carmen González-Cobos Dávila, *Antonio Buero Vallejo: el hombre y su obra,* Salamanca, Universidad, 1979, p. 51.

mente retratada en obras como *Historia de una escalera*, *Hoy es fiesta*, *El tragaluz*, *Jueces en la noche* o *Caimán;* de una forma indirecta en otras como *En la ardiente oscuridad*, *Aventura en lo gris*, *La doble historia del doctor Valmy*, *Mito* o *La Fundación;* también lo está en los dramas históricos, como indagación sobre algunos momentos, cuidadosamente elegidos, de nuestro pasado que permiten comprender (y transformar) el presente; está, en definitiva, de una u otra manera, en la producción toda de Buero.

En esta vertiente crítica, que no agota en absoluto su significación, no se muestra este teatro doctrinario ni tendencioso; sí problemático y posibilista, como reflejo sincero de la experiencia ideológica de su autor, común a la de no pocos hombres de su generación. La guerra civil y la mundial, la división de la izquierda, el estalinismo y la guerra fría, son experiencias históricas que median entre sus entusiasmos marxistas y revolucionarios de juventud y la actitud, más problemática, dubitativa o melancólica, que —sin abandonar nunca las convicciones básicas— impregna su producción dramática. Sólo la mala fe podía ver, por ejemplo, en *Un soñador para un pueblo* una justificación de la dictadura. Según Doménech, el teatro de Buero Vallejo puede calificarse ideológicamente sobre todo «por manifestar la exasperación y la impotencia de una izquierda derrotada y marginada. Y ello sin 'derrotismo' ni 'revanchismo'; antes al contrario, y justamente porque se sitúa en la perspectiva de la conciencia trágica, con la convocatoria a la conciliación y a la restauración de valores sustancialmente humanos».[5]

El autor, el artista, no escapa a la exigencia ética a que se ven sometidos los personajes (y los espectadores) de este teatro. No nos referimos al material autobiográfico que Buero haya podido incorporar a sus obras, especialmente a algunas como *La Fundación*. Se trata de la plasmación del drama mismo del intelectual o el artista enfrentado a su propia responsabilidad moral. Ya en *Aventura en lo gris*, el personaje central, Silvano, es un intelectual que asume un comportamiento ejemplar ante el

[5] *Op. cit.*, pp. 299-300.

conflicto planteado. La situación, sin embargo, le afecta más como hombre que como intelectual. Sólo las alusiones a actuaciones del pasado y su enfrentamiento con el dictador Goldmann pueden considerarse elementos dramáticos prefiguradores del verdadero «drama del intelectual» que existe en *Las Meninas, El sueño de la razón* y *La detonación*. Los protagonistas, Velázquez, Goya y Larra, respectivamente, encarnan al intelectual (de su tiempo y el nuestro) enfrentado con el poder. En cada uno de ellos hay algo del propio Buero, proyectado. La condición de pintores de los dos primeros recuerda la primitiva vocación del dramaturgo. Pero es sobre todo en el caso de Larra en el que las coincidencias son más notables: como Buero, «se encontró con una censura omnipresente (...), vivió el fin de una época absolutista y experimentó las ilusiones —y las decepciones— del advenimiento de un período de mayores libertades», y, como él, defendió «un 'posibilismo' digno y arriesgo, disconforme y no acomodaticio».[6]

3. Visión trágica: responsabilidad humana y esperanza

Si, atendiendo a su propósito, hemos definido el de Buero como un teatro ético, desde el punto de vista estético el dramaturgo opta por la *tragedia*. Se trata, como veremos, de una opción muy temprana, consciente y explícitamente asumida, y a la que ha permanecido fiel desde la primera hasta la última de sus obras. La tragedia es para Buero Vallejo el medio (estético) más eficaz para conseguir el perfeccionamiento ético que su teatro, en definitiva, postula. Propósito ético y visión trágica son, pues, dos dimensiones inseparables, las más esenciales e íntimas de su teatro, las que mejor definen seguramente la totalidad de su quehacer dramático.

El teatro trágico de Buero no remeda ni siquiera actualiza las *formas* preceptivas del género clásico; adopta, sí, una «visión» trágica, la perspectiva que más intensamente busca —y, por tan-

---

[6] Luis Iglesias Feijóo, *La trayectoria dramática de Antonio Buero Vallejo*, Santiago de Compostela, Universidad, 1982, p. 466.

to, afirma— el sentido del mundo y de la existencia humana, según el autor. Es cierto, sin embargo, que Buero ha utilizado no pocas veces elementos técnicos propios de la tragedia antigua: la máscara, en *La detonación* y *Llegada de los dioses;* el coro, como tal, en *La tejedora de sueños,* y acaso indirectamente en otras obras: en forma de grupos «corales» de personajes, como los ciegos de *En la ardiente oscuridad* y *El concierto de San Ovidio,* los amotinados de *Un soñador para un pueblo,* etc.; la música, presente en muchas obras y que desempeña un papel dramático importante en algunas, como *La señal que se espera, El concierto de San Ovidio* o *Jueces en la noche.* Pero en ningún caso estos elementos cumplen una función semejante a la que la tragedia griega les atribuye, ni siquiera el coro de esclavas de *La tejedora de sueños.* El recurso a la máscara, por ejemplo, responde a modelos más modernos (expresionistas) que clásicos. Puede decirse que Buero Vallejo ha escrito siempre un teatro trágico, pero nunca, formalmente hablando, una tragedia.

Las ideas fundamentales del dramaturgo en torno a lo trágico aparecen ya en el ensayo titulado «La tragedia» (1958). Aunque importantes aportaciones posteriores matizan o corrigen algunos extremos, en lo esencial tanto el pensamiento como la creación dramática bueriana siguen siendo fieles a aquellos principios. Destacaremos dos: la responsabilidad humana y la esperanza.

El destino, el *fatum* trágico, no aparece urdido en el teatro que estudiamos por fuerzas sobrehumanas, por los dioses ni siquiera por Dios; son los propios errores y las culpas del hombre los que pesan sobre él y le conducen en tantas ocasiones a la catástrofe. Precisamente en *La tejedora de sueños,* la única obra ambientada en la Grecia que alumbró la tragedia, esta réplica cobra especial resonancia:

> ULISES. (...) Todo está perdido. Así quieren los dioses labrar nuestra desgracia.
> PENÉLOPE. No culpes a los dioses. Somos nosotros quienes la labramos.

(Acto 3.º)

El propio autor ha manifestado que «lo que antes era Dios o los dioses hoy es el Absurdo o la Imperfección de la estructura social».[7] Pero la sociedad, cuya función dramática de obstáculo destacamos antes, y que actúa como fatalidad, con la fuerza del destino, sobre los personajes del drama, no exime a éstos de responsabilidad. Los condiciona, pero no los determina, porque, frente a su fuerza, se alza otra no menos poderosa: la libertad. La tragedia se perfila así como un conflicto entre libertad y necesidad. Es la libertad humana, la de los personajes pero también la de los espectadores, la que nos hace a todos responsables de nuestro destino. La última réplica de *Las palabras en la arena* va precedida de la siguiente acotación: «con la voz preñada de la más tremenda fatalidad *que es la que uno mismo se crea*». El héroe trágico es responsable de su propio fracaso porque, a pesar de las limitaciones a que el mundo lo somete, no ejerce *a tiempo* su libertad: traiciona la verdad, el amor, la solidaridad o simplemente no actúa. El universo trágico aparece presidido por el principio de justicia poética; la impunidad está descartada; cada uno sufre, directamente o no, las consecuencias de sus actos. Ciertamente el orden moral es enigmático, pero no arbitrario. La visión trágica afirma su sentido, aunque no lo entendamos; se empeña precisamente en descifrarlo. La responsabilidad trágica aparece formulada de manera rotunda por el propio autor al afirmar que la tragedia «intenta explorar de qué modo las torpezas humanas se *disfrazan* de destino».[8]

Pero si la libertad del hombre es el fundamento de su responsabilidad, lo es también de la esperanza, que constituye la clave, el verdadero sentido de la tragedia. «En cierto aspecto, la tragedia es siempre tragedia de la esperanza. Nuestra condición de hombres (...) no es sino esta esperanza patética»;[9] esperanza nada confortable ni tranquilizadora, sino problemática y difícil. Porque la tragedia plantea preguntas que raramente encuentran res-

[7] Medardo Fraile, «Charla con Antonio Buero Vallejo», *Cuadernos de Ágora*, núms. 79-82 (1963), p. 6.
[8] «Sobre teatro», *ibíd.*, p. 14.
[9] Jean Paul Borel, *op. cit.*, p. 234.

puestas concretas, satisfactorias. La esperanza trágica implica, pues, un acto de fe (en la solución de los problemas del hombre, en el sentido del mundo), pero que no excluye —que contiene en su seno— la duda. Es la expresión de una tensión desgarrada del ser humano, que afirma una posibilidad de salvación en la entraña misma de lo *imposible*. Y como tal debe la tragedia presentarla: no con la seguridad de una respuesta, sino como una invitación interrogante.

El resultado de la experiencia trágica es positivo en cuanto el hombre, purificado por la *catarsis*, es capaz de encarnar la esperanza en su propia capacidad de rectificación. El destinatario de esta invitación a la esperanza activa es el espectador. Sólo en él encuentra la tragedia su último sentido: acabar, en la vida, mediante el ejercicio de la reflexión y la libertad, con el hado fatídico que, en el universo dramático, ha conseguido destruir al personaje. He aquí el sentido de los «finales abiertos» a que aludíamos antes. No se ofrecen respuestas concretas ni en el mundo de la ficción ni en el terreno ideológico; únicamente interrogantes que debe resolver el espectador, una esperanza que él debe convertir en realidad.

El sentido último, esperanzador, de la tragedia se produce en la relación obra-espectador. No requiere, por tanto, que se haga explícito en el drama. Buero Vallejo opta por hacerlo, sin embargo, con mucha frecuencia, aunque en distinta medida y de diferentes formas. *El sueño de la razón* presenta uno de los finales más sombríos y cerrados de su teatro, mientras que *La señal que se espera* tiene un «final feliz» y en *Hoy es fiesta* la esperanza se erige en tema central. La última escena de *Historia de una escalera* presenta a los hijos repitiendo casi literalmente el diálogo ilusionado que, años antes, sostuvieron en el mismo lugar sus padres. ¿Fracasarán también, como ellos? La estructura circular, cíclica, de la obra inclina a pensar que será así. Pero cuando cae el telón, queda en el espectador la duda, pequeña si se quiere, pero que abre un resquicio a la esperanza. Esperanza que alcanza a la conciencia de algunos héroes trágicos en su propia desgracia. Es el caso de Eloy, por ejemplo, cuando dice a Ismael:

> No todo es inútil... Aunque no lo entiendas...
> Los actos son semillas... que germinan...
> Germinará tu acción... También la mía.
>
> *(Mito,* 2.ª parte)

Germinará, efectiva e inmediatamente, en el público que la presencia. En el caso de *En la ardiente oscuridad,* la semilla de rebeldía, la imposible aspiración a la luz que Ignacio representa, fructifica precisamente en Carlos, su oponente. En *El Concierto de San Ovidio* no es un personaje sino un testigo de la acción, Valentín Haüy, quien asume la tarea de hacer realidad los sueños de David. En varias obras ha plasmado Buero Vallejo en la imagen de un niño el mensaje esperanzador. Los protagonistas de *Aventura en lo gris* sacrifican su vida para que viva el niño por cuya sangre corren, unidas, la de los invasores y los invadidos. Algo similar ocurre en *El tragaluz* con el hijo que Encarna lleva en su vientre, engendrado por Vicente y cuya paternidad asumirá Mario al final de la obra.

Algunos detractores han reprochado a Buero su «pesimismo», la visión amarga que destilan sus obras (un tópico entre ellos ha sido hablar del dramaturgo como un hombre «amargado»), su insistencia en presentar sobre la escena los perfiles más sombríos, desagradables o negativos de la realidad. Tal imputación tiene que ver con el carácter trágico de su teatro y resulta, al hilo de lo que venimos diciendo, ciertamente infundada. Como el propio autor ha sugerido, es, paradójicamente, el «amable» teatro de evasión el verdaderamente pesimista, porque eludir el tratamiento de los problemas esenciales del ser humano (que, desgraciadamente, no desaparecen por rehuirlos) significa de hecho negarles solución. La tragedia, es cierto, cuenta con medios como *el terror* y *la piedad* para alcanzar la *catarsis,* el perfeccionamiento o purificación interior. El desvelamiento de la verdad trágica pone ante nuestros ojos los aspectos más problemáticos y oscuros del ser humano. Es el terror, que el espectador debe experimentar junto con la piedad o compasiva identificación con los personajes. Nada tiene que ver esto con el pesimismo. A través de tales *medios* la tragedia se empeña, patética y positivamente, en encontrar respuestas a las grandes preguntas del hombre y afirma, más allá incluso de lo «posible», la libertad humana. El héroe trágico es responsable porque es libre y la esperanza, invariable conclusión del drama, consiste en que la libertad se imponga finalmente al «destino», ese disfraz de los errores, las torpezas y las culpas del hombre.

4. Los trasfondos de una obra dramática inclasificable

La fidelidad del dramaturgo a un propósito ético y a una estética trágica podría hacer pensar en un teatro uniforme, reiterativo o monótono. Lo cierto, por el contrario, es que «toda su producción es una pura y escueta experiencia, cada obra es una prueba nueva y así nos encontramos con que todas son distintas formalmente hablando». Pero «dentro de esta labilidad, sus ideas, intenciones y resoluciones son siempre iguales. La máxima labilidad en el cuerpo de la máxima fidelidad a sí mismo». [10] Son palabras publicadas en 1961. Hoy, más de veinte años después, el diagnóstico sigue siendo válido; lo es aún con más fundamento. En las obras posteriores, sobre todo en las últimas, la experimentación se acentúa extraordinariamente y la fidelidad a sus constantes es, si cabe, más honda. Esta especial conjunción de unidad y diversidad hace que las obras de nuestro autor resulten irreductibles a una clasificación rigurosa. No conocemos, a pesar de la ingente bibliografía, una sola que pueda considerarse satisfactoria.

Desde el punto de vista de la significación, el teatro que estudiamos se caracteriza por sus «trasfondos». Como las cajas chinas o las muñecas rusas, unos significados encierran otros y éstos otros. Tras una apariencia realista se esconde una construcción simbólica; en un conflicto existencial subyace un planteamiento ideológico; bajo un problema individual se descubre una tensión social; y más allá de una acción o un personaje cotidia-

---

[10] Domingo Pérez Minik, *Teatro europeo contemporáneo*, Madrid, Guadarrama, 1961, p. 394.

nos se trasparenta un trasfondo mítico. Una obra como *El tragaluz* permite, en condiciones óptimas, verificar cada una de estas proposiciones.

Realismo y simbolismo

Entre las primeras propuestas de clasificación se encuentra la de agrupar las obras en realistas, de una parte, y simbólicas, de otra. Lo cierto es que realismo y simbolismo se funden, o mejor, se superponen en el teatro de nuestro autor. Buero Vallejo ha sido siempre fiel al realismo, entendido en un sentido amplio. Sus «experimentos» dramáticos nunca han rebasado los límites de la estética realista. Si atendemos al lenguaje, no encontraremos un solo diálogo escrito por él que no se atenga a la *verosimilitud*, es decir, que trasladado a la realidad, no resulte posible. (Pensemos, por contraste, en los de *El público*, de García Lorca o algunos esperpentos de Valle-Inclán.) Sus escenarios son siempre analógicos, imitación de espacios reales. Aun cuando representan simultáneamente varios lugares, no será realista la yuxtaposición, pero sí lo es cada uno de los lugares representados. En casos como *Aventura en lo gris* o *La Fundación*, la deformación del espacio escénico tiene una justificación realista: en la primera se representa un sueño; en la segunda vemos la realidad a través de la mente trastornada del protagonista. Lo mismo puede decirse de los personajes. Ninguno de ellos hace, dice o es algo que no pudiera ser, decir o hacer algún ser humano real. Incluso *Mito*, que por su destino (la ópera), su forma lingüística (el verso), su ambientación (el futuro) y su tema (el quijotismo) parecía casi reclamar otra estética, resulta a nuestro juicio un drama realista. El verso, que bastaría —si lo fuera— para abrir una brecha de irrealidad, no nos parece, sin embargo, sino prosa coloquial «medida», realista, lo mismo que los personajes, el escenario y la historia.

Utilizar aquí, como lo hacemos por comodidad expresiva, el término «simbolismo» no es del todo apropiado. Buero Vallejo no ha escrito nunca un teatro «simbolista», pero sí casi siempre un teatro simbólico. El simbolismo teatral representa una reacción contra la estética —realista— del naturalismo escénico, frente a la que promueve un clima de lirismo, una revalorización del lenguaje poético, de la imaginación, de la luz, de la música, etc. «Simbolista» es una calificación estética nada —o poco— aplicable a la obra bueriana; «simbólico» alude a una forma de significar que la caracteriza. El símbolo no sustituye a la realidad; la traspasa, añade una carga significativa (connotación) a su inmediato significado (referencial). Esta proyección simbólica está presente en los más diversos elementos del drama. Los espacios escénicos, además de significar el lugar de la acción, adquieren frecuentemente el carácter de símbolos. Pensemos en la escalera de la primera obra estrenada, en la azotea de *Hoy es fiesta*, en el semisótano de *El tragaluz* o en la celda de *La Fundación*. Incluso los objetos se cargan en ocasiones de connotaciones simbólicas. Es lo que ocurre con el arpa eólica de *La señal que se espera*, el reloj de *Madrugada*, las farolas de *Un soñador para un pueblo*, etc. Los personajes, nunca abstractos, nunca desprovistos de atributos individuales, encarnan también valores simbólicos, a veces muy claramente: Fernandita (y Bernardo) en *Un soñador para un pueblo*, Pedro Briones en *Las Meninas*, Pedro, el criado de Larra, en *La detonación*, son símbolos del pueblo. ¿Cómo no recordar, en fin, la significación simbólica de la ceguera, de la locura, del contraste entre luz y oscuridad, elementos presentes de manera casi obsesiva en la ficción dramática de Buero?

Individuo y sociedad

Este teatro, realista y simbólico a la vez, sitúa en primer término los problemas del individuo y encierra al mismo tiempo una significación social. Tiene siempre en cuenta «la importancia infinita del caso singular», según la formulación de los investigadores de *El tragaluz*. Sus personajes son seres humanos concretos, complejos, nunca de una pieza ni meros sustentadores de una idea. Puede considerarse, en tal sentido, éste como un

teatro *psicológico*. Por otra parte, el personaje bueriano tiene
que afrontar y resolver, como individuo, una problemática moral que es de naturaleza social. El enfrentamiento entre los dos
hermanos —Mario y Vicente— de *El tragaluz* tiene raíces per-
sonales, privadas, muy profundas (resentimiento, deseo de
venganza, rivalidad amorosa, etc.), pero son también, o sobre
todo, dos comportamientos sociales, dos actitudes ante la vida, las
que, encarnadas por cada uno de ellos, entran en colisión. La
sociedad *se proyecta* sobre el microcosmos dramático. Raramente
aparece representada en él de manera inmediata. Por el contrario, se hace sentir en los conflictos a que se ven sometidos los
personajes y a través de instituciones «mediadoras» como la
familia, ámbito en que se desarrolla la mayor parte de sus obras,
o como un vecindario *(Hoy es fiesta)*, un internado *(En la ardiente oscuridad)*, una cárcel *(La Fundación)*, etc. Es así como los
conflictos individuales adquieren una significación social, lo
mismo que ocurre en el teatro de Ibsen.

Trasfondo mítico

La crítica ha destacado la presencia de distintos mitos en el
teatro de Buero Vallejo. Algunas obras son una recreación del
mito mismo. *La tejedora de sueños* ofrece una nueva interpretación de un episodio de la *Odisea* y de sus protagonistas, Pe-
nélope y Ulises. *Las palabras en la arena* es una reinvención del
pasaje evangélico de la mujer adúltera. Lo más frecuente, en
cambio, es que el mito aparezca como trasfondo. En *Caimán*, la
leyenda india que da título a la obra se convierte en metáfora
(o símbolo) que condensa su significado. Lo mismo ocurre en
Diálogo secreto con el mito de Aracne, visto a través de su representación en *Las hilanderas* de Velázquez. En una y otra obra
los personajes se refieren al mito de manera explícita. Como explícita, aunque más intensa, es la evocación del *Quijote* en *Mito*.
Pajón Mecloy ha estudiado la presencia, más velada, del mito
platónico de la caverna en la primera obra del dramaturgo, *En
la ardiente oscuridad*, que puede hacerse extensiva a otras como

El tragaluz o *La Fundación*. De forma general, Doménech ha
descrito este trasfondo como resultante de la fusión de tres mitos: Edipo, Don Quijote y Caín y Abel. *Llegada de los dioses*,
Mito y *El tragaluz*, acusan la presencia de cada uno, aunque en
realidad los tres se diluyen y entrecruzan en muchas otras obras,
pues afectan a constantes como la ceguera, la locura, la oposición activos-contemplativos, etc. En *El tragaluz*, por ejemplo,
encontramos alusiones explícitas al *Quijote*, y el reflejo mítico
de Caín y Abel sobre Vicente y Mario lo encontramos también
en parejas de hermanos como Álvaro y Regino *(El terror inmóvil)*, Laura y Leticia *(Casi un cuento de hadas)* o Anita y Adela
(Las cartas boca abajo). Iglesias Feijóo ha destacado la presencia del mito de Tiresias. Nos referiremos a él al tratar de los
personajes.

La historia

Dos categorías se han barajado con distinta fortuna para dar
cuenta de la diversidad que la producción de Buero Vallejo presenta. La primera, poco discutida (y quizás discutible), es la de
«teatro histórico». Cinco de sus dramas están construidos en torno a acontecimientos (el motín de Esquilache, el concierto de
San Ovidio) y personajes (Velázquez, Goya, Larra) históricos;
ambientados en momentos determinados y significativos de la
historia, y de la historia española, a excepción de *El concierto
de San Ovidio*, cuya acción transcurre en la Francia prerrevolu-
cionaria. La fidelidad a los datos históricos *conocidos*, consecuencia de un riguroso trabajo de documentación, es notoria
—y está probada— en todos los casos. Naturalmente, tratándose
de obras de ficción, existen márgenes que la invención y la intención del autor se encargan legítimamente de llenar; pero nunca en contra —ni recurriendo a la manipulación— de los testi-
monios que la historia proporciona.

El carácter histórico de estas obras no guarda relación con el
del drama romántico del siglo XIX ni con el teatro «poético» al
modo de Marquina y Villaespesa. El punto de partida y el pro-

pósito de este recurso a la historia es invariablemente una comprensión (y una crítica) del presente, no a través de anacronismos ni de guiños al espectador, sino del significado global de cada obra y los peculiares modos de significar apuntados antes. En lo esencial, los fines y los medios son idénticos en éstas y en las restantes obras del autor. Se añade, sí, una perspectiva nueva a la esperanza trágica: la fatalidad, en ocasiones, se deshace en la historia. El sueño de David (que los ciegos puedan leer), imposible en su tiempo, comienza a realizarse desde su muerte hasta el hoy del espectador. Se trata, en fin, de un teatro de *proyección histórica* en que, a través de lo general, lo contemporáneo se proyecta sobre el pasado y viceversa.

El «sainete»

La segunda categoría se refiere a las obras localizadas en la España contemporánea, de apariencia naturalista y ambiente sólo remotamente «costumbrista». Se trata del «sainete», con el que emparentaban algunos críticos ya *Historia de una escalera* y con el que han relacionado todavía otros *Caimán*. La relación, incluso para los que la defienden, es remota. Se habla de «transfiguración», de «evolución a lo serio», que pasaría por Dicenta, por la tragedia grotesca de Arniches, por Valle Inclán...; de síntesis con el teatro trágico de Unamuno, etc. En esta transformación poco queda en pie del sainete y nada de lo que lo caracteriza.[11] Nos inclinamos a pensar, como Torrente Ballester y Ruiz Ramón, que no existe una relación significativa entre el sainete y el teatro de nuestro autor. Prescindiendo de esta referencia, podría sostenerse la agrupación de tales obras como «tragedias de la vida vulgar» que suponen un «proceso a la sociedad española actual».

---

[11] Un intento reciente de delimitación teórica del sainete como género propone la siguiente definición: «diálogo en un acto escénico (o de semejante duración temporal) que se configura temáticamente por la presentación de un grupo social en cuanto hecho diferencial» (Miguel Ángel Garrido Gallardo, «Notas sobre el sainete como género literario», en *El teatro menor en España a partir del siglo XVI*, Madrid, C.S.I.C., 1983, pp. 21-22).

Pero aun incluyendo en este apartado los dramas que se desarrollan en escenarios más o menos «naturales» *(Hoy es fiesta, Las cartas boca abajo...)*, junto a los que transcurren en ámbitos cerrados de marcado simbolismo *(En la ardiente oscuridad, La Fundación...)* y los que se localizan en un país imaginario, Surelia *(Aventura en lo gris* y *La doble historia del doctor Valmy)*, quedarían sin encuadrar, ni entre las históricas ni entre las actuales, obras de ambiente mítico, legendario o literario como *Las palabras en la arena, La tejedora de sueños* y *Casi un cuento de hadas*, que podrían considerarse próximas y precursoras de los dramas históricos. Varios problemas quedarían en pie: la clasificación de *Mito*, por ejemplo, o el caso de *Irene o el tesoro*, en que la más decidida irrupción del misterio, de la irrealidad, se produce en el ambiente más sórdido y «naturalista» imaginado por el autor.

* * *

La proyección histórica, los trasfondos simbólicos, míticos o sociales que caracterizan el teatro de Buero Vallejo se han querido presentar por algunos como meras estrategias posibilistas, recursos del «decir sin decir» destinados a eludir la censura y fuentes de ambigüedad, nada gratas a los partidarios del «hablar claro». Aunque ése y sólo ése fuera el origen de los procedimientos señalados —cosa que no creemos— seguiríamos considerando el resultado como un acierto y una riqueza (cuyo mérito debería el ingenio del autor compartir, en todo caso, con los estímulos de la censura). Lo cierto es que esta peculiaridad significativa que se puede denominar ambigüedad o, mejor, polisemia, es asumida por el dramaturgo y considerada, con razón, no un «pecado por defecto» sino una «virtud por exceso».

5. Los personajes y su función dramática

No hace falta insistir en la importancia que se concede al ser humano concreto en el teatro de Buero Vallejo, teatro que parece asumir la tarea «imposible» de los experimentadores de *El*

tragaluz: rescatar «árbol por árbol y rama por rama, el bosque
infinito de nuestros hermanos». Los personajes buerianos representan individuos y como tales permiten ser estudiados uno por
uno. Sólo atendiendo a su función dramática es posible hacer
algunas observaciones generales. Y ello precisamente porque
ocupan un lugar subordinado en la estructura del drama. Creemos con Torrente Ballester que «la *significación* es el principio
subordinante de todos los elementos del teatro de Buero Vallejo».[12] Así puede entenderse la afirmación de Ruiz Ramón: «los
personajes no son nunca tipos genéricos ni solo individuos, sino
signos dramáticos».[13] Por ello se ven en cierta medida empobre-
cidos, afectados de un cierto esquematismo, reducidos a los ma-
tices que sirven adecuadamente a la significación; aunque ésta,
a su vez, los dota de nuevos valores (simbólicos, sociales, etc.).
Si el entramado profundo de la significación es, como hemos visto, muy unitario, cabe esperar que los personajes asuman funciones dramáticas más o menos constantes. Dos ha destacado
con insistencia la crítica: la oposición entre contemplativos y activos y la de personajes con taras físicas o mentales.

Contemplativos y activos

La escisión de estas dos actitudes o comportamientos humanos, la acción por una parte y la contemplación por otra, se encuentra en la base del pensamiento dramático de Buero Vallejo.
Su sentido es esencialmente ético. La acción representa la eficacia a costa de la moral; la contemplación se atiene a la ética, sa-
crificando la eficacia. La dicotomía nos recuerda aquella otra ba-
rojiana: a un lado el árbol de la vida, al otro el árbol de la ciencia del bien y del mal.

> Comed del árbol de la vida, sed bestias, sed cerdos, sed egoís-
> tas, revolcaos por el suelo alegremente; pero no comáis del árbol

[12] «Nota de introducción al teatro de Buero Vallejo», *Primer Acto*, núm. 38
(1962), p. 13.
[13] *Historia del teatro español. Siglo XX*, Madrid, Cátedra, 1975, 2.ª ed. muy ampliada, p. 342.

de la ciencia, porque ese fruto agrio os dará una tendencia a mejorar que os destruirá.

(El Árbol de la Ciencia, 4.ª Parte, III)

El activo es un personaje destinado al rechazo por parte del espectador. En sus más nítidas encarnaciones (Goldman, Ulises, Valindin, Paulus, Felipe...) utiliza la violencia, el engaño, la crueldad, en favor de sus intereses o para lograr sus deseos. Lejos de todo problematismo, se justifica ante sí y ante los demás. Eliminada la dimensión ética, el mundo se convierte en una selva en la que «entre devorar y ser devorado —dice Paulus—, escojo lo primero». El contemplativo es un personaje incompleto, hondamente problemático, soñador, altruista, pero incapaz de realizar sus sueños en el mundo en que vive. Encarna al héroe trágico, abocado casi siempre al fracaso, a la muerte, pero cuyo «ejemplo» encierra un sentido positivo, esperanzador. El conflicto ético, vivido únicamente por el contemplativo, encuentra una formulación muy clara en *Mito:*

> Eloy, la acción es impura.
> La injusticia es necesaria
> para alcanzar la justicia.
> Serás sólo un soñador
> si el escrúpulo no ahogas
> y a actuar no te decides.

(1.ª Parte)

Es la contraposición de estas dos actitudes, el divorcio entre moral y eficacia, entre ética y poder, lo que de forma persistente muestra esta dramaturgia. Pero en cada obra, en cada personaje, con variantes o matizaciones sustantivas. Esquilache es un soñador en el poder; David, un contemplativo capaz de actuar, como Silvano o como Eloy; el altruismo de contemplativos como Ignacio, Mario o Julio es, cuando menos, discutible; un activo, Vicente, puede sentirse impulsado por su mala conciencia a buscar la expiación, etc. En algunas obras la antinomia se encarna de forma muy clara en los personajes centrales, protagonista y antagonista: Ignacio y Carlos *(En la ardiente oscuridad)*, Silvano y Goldmann *(Aventura en lo gris)*, David y Valindin *(El concierto de San Ovidio)*, Mario y Vicente *(El tragaluz)*, Julio y Felipe *(Llegada de los dioses)*. Pero no siempre adquiere el debate esta forma simétrica: el polo activo puede no estar representado por ningún personaje *(Hoy es fiesta)* o puede diluirse en un conjunto de ellos (los familiares de *Madrugada);* puede, por el contrario, ser omnipresente, como en *La doble historia del doctor Valmy,* y no encontrar una fuerza contemplativa equiparable que le haga frente.

Se impone como solución una síntesis integradora, ciertamente difícil, pero no imposible. Los investigadores de *El tragaluz* la han conseguido en su tiempo futuro:

> ELLA. El mundo estaba lleno de injusticia, guerras y miedo. Los
> activos olvidaban la contemplación; quienes contemplaban no
> sabían actuar.
> ÉL. Hoy ya no caemos en aquellos errores.

(Parte 2.ª)

En otras obras se apuntan algunas vías para la superación de esta antítesis: el arte, por ejemplo, que Buero considera una forma de «contemplación activa», en los casos de Velázquez y Goya; el amor en el caso de Amalia *(Madrugada).*

Ciegos y locos

Es llamativo el número de personajes afectados por limitaciones físicas o mentales que pueblan el mundo dramático de Buero Vallejo. Ciegos como los de *En la ardiente oscuridad* y *El concierto de San Ovidio,* como Euriclea, como Julio; sordos como Goya, Pilar y la abuela de *La doble historia del doctor Valmy;* la muda Anita, el cojo de *Caimán* y Fabio, el crítico de arte daltónico de *Diálogo secreto;* y locos, en mayor o menor medida, como Álvaro, Irene, El padre de *El tragaluz,* Eloy, Tomás, Larra o Gaspar. A veces la debilidad física y mental se suman. Es el caso de Anita, de Goya, de Julio. El origen del defecto mental o físico es muy significativo en ocasiones (ceguera de David, mudez de Anita) hasta convertirse en clave del conflicto dramático (*El tragaluz, Llegada de los dioses, La Fundación*).

Aunque estos personajes cumplen funciones muy diversas (baste pensar que muchos son, al tiempo que ciegos o locos, contemplativos; protagonistas o personajes secundarios del drama) es posible hacer algunas generalizaciones. Todas estas imperfecciones ponen de manifiesto una *limitación* (del personaje y del hombre), que adquiere significados simbólicos, sobre todo cuando en la base del drama se encuentra la aspiración a superarla, a alcanzar la luz o la verdad, como ocurre con Ignacio, David, Julio o Tomás. Estos personajes, que no tienen acceso al mundo de los videntes o los cuerdos, se encuentran recluidos, concentrados en otro mundo oscuro, que es el propio de cada uno. Representan el aislamiento, la *soledad* del hombre. Se hacen por eso, en ocasiones, depositarios de los secretos y las culpas de personajes «normales», llegan a constituirse en la conciencia de éstos. Es lo que sucede con la sorda Pilar respecto a Silverio, su marido; con Anita en relación a su hermana Adela; con el padre loco de *El tragaluz* y su hijo Vicente. En escenas paralelas, Vicente y Silverio confiesan su culpa, como si hablaran consigo mismo, al padre y a la esposa que *creen* incapaces de escucharlo y entenderlo, respectivamente.

La soledad, la limitación a que se ven sometidos, desarrolla en estos personajes con frecuencia un sexto sentido que permite a los ciegos *ver* más allá o más hondo que los videntes y a los locos percibir *realidades* que se escapan a los cuerdos. El resultado es la paradoja de los ciegos (o los sordos) videntes (Ignacio, David o Julio; Goya o Pilar) y de los locos lúcidos (Irene, El padre, Eloy). Esta inversión queda expresada así en *Irene o el Tesoro*:

> LA VOZ. La sabiduría de los hombres es locura, y su locura puede ser sabiduría.

> (Acto 3.º)

La sorprendente dimensión que cobra de esta manera el significado de las limitaciones físicas y mentales es la que puede relacionarse con el *mito de Tiresias,* personaje ciego y vidente; aunque esta capacidad de adivinación, de vislumbrar algo allí donde los demás no alcanzan a ver nada, está presente a veces en personajes carentes de taras, como Oriana *(Casi un cuento de hadas)* y buena parte de los «soñadores» o contemplativos (Silvano, Esquilache, Mario...).

Mención aparte merece el caso de algunos personajes cuyo defecto es, en mayor o menor medida, voluntario, adquirido (e incluso quizás fingido alguna vez) para eludir una responsabilidad, para no reconocer la verdad dolorosa o no ver la realidad tal como es. La de la abuela, en *La doble historia del doctor Valmy,* es la sordera —culpable— de quien no quiere oír, con el precedente, según han señalado algunos, del personaje mudo de *Las cartas boca abajo,* Anita. También los protagonistas de *Llegada de los dioses* y *La Fundación* recurren a la ceguera y la locura como una forma de evasión; bien es cierto que no mediante una decisión voluntariamente adoptada, sino como una reacción del subconsciente. La culpa de Fabio, en cambio, consiste en ocultar a todos su defecto, el daltonismo, empeñado en la tarea *imposible* de seguir ejerciendo como prestigioso crítico de arte.

A través de los «efectos de participación», que trataremos en el siguiente apartado, Buero Vallejo consigue sumergir al espectador en la mente de ciegos y de locos, en sus mundos internos, no vacíos, poblados, sí, de sombras y fantasmas. El público de *El sueño de la razón,* identificado con Goya, padece su sordera: no oye las conversaciones que sostienen los otros personajes en su presencia; escucha, sin embargo, sus «voces interiores». El espectador sufre el mismo proceso de desalienación que el protagonista de *La Fundación:* creerá estar al principio en una confortable institución, para encontrarse, al fin, en la sórdida cárcel. Lo mismo que Tomás.

6. Las formas dramáticas

Buero Vallejo ha llevado a cabo una investigación formal intensa y continuada en su larga carrera dramática. Él mismo ha declarado recientemente: «Yo me he pasado la vida, en mi propio teatro, experimentando.»[14] Es cierto que su experimentación no ha seguido las direcciones o las modas que patrocinaban en cada momento reales o supuestas «vanguardias», sino un camino propio, guiado por sus preocupaciones, propósitos y curiosidades de siempre. No encontramos en su obra —ni siquiera en lo formal— repentinas «conversiones», cambios bruscos de rumbo o inesperados descubrimientos; sí, por el contrario, depuración de técnicas, desarrollo de elementos apuntados antes de forma embrionaria, ensayo de nuevas soluciones para problemas —como el de la participación— constantes, sin descartar rectificaciones y reconocimiento de errores. Nos inclinamos a pensar que, también en los aspectos formales, la trayectoria dramática de Buero Vallejo presenta la forma de una «evolución en espiral», según la formulación de Doménech. Las tres etapas sucesivas que Iglesias Feijóo ha delimitado en su reciente libro, y que resultan útiles para el estudio en orden cronológico de la producción del autor, no obligan a pensar (antes al contrario) en una evolución rectilínea. El rasgo formal que caracteriza la tercera etapa, la implantación del punto de vista del personaje, está apuntado embrionariamente en la primera obra escrita por Buero *(En la ardiente oscuridad)*, presente en muchas otras, como *Aventura en lo gris* o *El tragaluz*, y plenamente desarrollado en una o dos de la primera época *(Irene o el tesoro* y *Casi un cuento de hadas)*.

Forma abierta y forma cerrada

Es posible distinguir dos formas fundamentales de estructurar un relato dramático. La que llamamos «cerrada» se caracte-

---

[14] Santiago Trancón, «Teatro español 82. Antonio Buero Vallejo» (entrevista), *Primer Acto*, núm. 194 (1982), p. 9.

riza por la concentración de las acciones en un espacio único o
con muy pocas mutaciones y en un tiempo corto, de desarrollo
continuo, lo que no exige necesariamente el escrupuloso respe-
to de las «unidades» clásicas. Los conflictos dramáticos se desarrollan en sentido convergente, de creciente intensidad, hacia un
centro climático de máxima tensión, como un círculo que fuera
cerrándose sobre sí mismo. La forma «abierta», por el contrario,
ofrece la acción fragmentada en múltiples episodios, con frecuentes cambios de lugar y saltos de tiempo. La obra adquiere
una apariencia de retablo o mosaico, resultante del «montaje»
de lós diferentes *cuadros*. Los conflictos se suceden, prolongan-
do el símil, en línea recta. Se trata de una forma de estructurar
las acciones próxima a la técnica narrativa y cinematográfica.
El teatro clásico francés del siglo XVII se atiene a la forma cerrada, mientras que la *comedia* española del Siglo de Oro y el
teatro isabelino inglés son ejemplos cimeros de dramaturgias
que utilizan la estructura abierta. La oposición teórica que es-
tablece Brecht entre teatro aristotélico y no aristotélico o forma
«dramática» y «épica» viene, en buena medida, a coincidir con
las formas cerrada y abierta, respectivamente.

Inicialmente, Buero Vallejo muestra una clara preferencia teórica por la estructura cerrada, que considera específicamente teatral, frente a la abierta, en la que advierte una orientación a com-
petir con el cine. Rechaza también el abuso de efectos plásticos,
pues el cine es «el arte de la imagen» mientras el teatro es «el
arte de la palabra».[15] Los dramas escritos hasta *Un soñador para
un pueblo* son de estructura cerrada; pero en éste y en la mayor
parte de los que le siguen el dramaturgo adopta la forma abierta. Aunque este cambio de orientación no es ni brusco ni irre-
vocable. Entre las obras posteriores, en *Mito, Llegada de los dioses* y *La Fundación* reaparece la unidad de lugar y el fluir continuo del tiempo. De otro lado, en *Historia de una escalera* el
tratamiento del tiempo es más propio de la forma abierta que
de la cerrada. Lo mismo puede decirse a propósito de *El terror*

---

[15] «Comentario» a *Madrugada*, Madrid, Escelicer, 1954 (col. Teatro, núm. 96),
p. 85.

inmóvil, estructurada en seis cuadros, con mutaciones escénicas y saltos de tiempo entre ellos de varios meses (primero-segundo) y hasta de años (segundo-tercero). Lo que representa una novedad sin precedentes en *Un soñador para un pueblo* es la utilización del escenario que representa simultáneamente varios lugares. Esta disposición del espacio escénico se repite en las obras posteriores, a excepción de las tres señaladas antes y de *Diálogo secreto,* en las que se vuelve al escenario único.

Las doce primeras obras, en las que predomina la construcción cerrada, se encuadran en la tradición del «realismo teatral» conocida por sus orígenes como *drama burgués.* El teatro de Buero Vallejo se inserta en esta amplia tradición dramática más a través de la rama ibseniana, como el propio dramaturgo ha sostenido, que de la benaventina, con la que algunos críticos lo han relacionado, con intención descalificadora en algunos casos. En *Madrugada* el dramaturgo lleva la forma cerrada a sus últimas consecuencias. La acción se desarrolla en una sola habitación y el tiempo de la ficción coincide exactamente con el de la representación. Pero si nuestro autor asume la tradición del drama burgués, no lo hace sin crítica. Por el contrario, su primera producción responde al «intento de profundizar el marco del drama tradicional realista con un propósito crítico que lo lleva a introducir algunas líneas de ruptura tanto en sus sentidos como en sus formas»:[16] la presentación de la realidad como problemática, la ausencia de héroes positivos, la crisis de la personalidad o los finales abiertos, en lo que se refiere a los contenidos; en cuanto a las formas, experimentación con el tiempo, como en los casos citados antes, o innovaciones en la participación, con la implantación del punto de vista del personaje.

Los once últimos dramas, predominantemente de construcción abierta, no se atienen a un modelo teatral determinado. Desde luego no responden a la fórmula brechtiana del «teatro épico», aunque puede detectarse en ellos un «diálogo» con Brecht. Además de no abandonar la estética realista, como antes sostuvimos, Buero Vallejo sigue escribiendo en esta segunda etapa un

---

[16] Luis Iglesias Feijóo, *op. cit.,* p. 231.

teatro «dramático», nunca verdaderamente épico o narrativo; ni siquiera cuando aparecen «personajes-narradores» como el doctor Valmy y los investigadores de *El tragaluz*.

Espacio, tiempo, «narradores»

Quedó ya apuntado el valor simbólico que adquieren frecuentemente los espacio escénicos en el teatro de Buero Vallejo. Hemos defendido también el carácter realista, analógico, de todos ellos. Las acotaciones en que se hace la descripción del escenario suelen ser extensas y detalladas; no se limitan a precisar el espacio *dramático* representado, sino que ofrecen también las soluciones técnicas para la representación *teatral*. En su primera producción aparecen ya escenarios que rompen, en cierta medida, con el modelo realista por excelencia (un interior, una habitación). Nos referimos a la escalera, a la azotea o a espacios como los de *Las palabras en la arena* o *La tejedora de sueños*. Las obras que hemos considerado de estructura abierta repiten invariablemente la fórmula del *escenario simultáneo*, muy utilizada por el expresionismo y cuyos orígenes se remontan al teatro medieval. El resultado es un «espacio de teatro», de carácter antiilusionista o distanciador, aunque no de forma absoluta. La representación simultánea de los distintos lugares nos parece que acerca estas obras a la «concentración» propia de la forma cerrada. La fragmentación no impide que se mantenga una cierta sensación de unidad, más intensa, desde luego, que si se hubiera optado por la representación sucesiva de los diferentes lugares. Este es quizás uno de los motivos por los que *El tragaluz* produce un efecto de obra «dramática», concentrada, cerrada, mucho más que de drama narrativo, episódico o abierto. Los «efectos de participación» afectan a los escenarios de algunas obras, sometiéndolos a la subjetividad de los personajes. El caso más extremo es el de *La Fundación*, pero en muchas otras obras, anteriores y posteriores, se visualizan «espacios interiores»: en el cuadro del sueño colectivo de *Aventura en lo gris*, en el balcón de *Irene o el tesoro*, en *El sueño de la razón*, en *La detonación*, en *Llegada de los dioses*.

El tiempo desempeña también un papel de primer orden en la estructura de no pocos dramas. Ya hemos hablado del virtuosismo que supone la coincidencia de tiempo representado (dramático) y tiempo de la representación (teatral) en *Madrugada*. El descubrimiento de la verdad se convierte para Amalia en una lucha contra el tiempo, cuyo transcurso marca implacablemente el reloj de pared que preside la escena. El juego temporal sostiene también la construcción dramática de *Historia de una escalera*. Todo ocurre precisamente durante las sucesivas elipsis temporales. El espectador asiste únicamente al resultado, a las consecuencias que se siguen de las acciones realizadas en el tiempo elidido. El dramaturgo ha revelado no hace mucho que escribió la obra bajo la influencia de *Las Nubes*, de Azorín, texto en el que Calisto, ya viejo, asiste a la «repetición» de su escena con Melibea, que tiene lugar ahora entre su hija y un galán. El protagonismo del tiempo queda confirmado por este dato. En algunas obras introduce el autor «anacronías», esto es, distorsiones en la línea de la sucesión temporal. *Diálogo secreto*, por ejemplo, presenta escenas que suponen un salto atrás en el tiempo *(flash-back)*. Aludimos anteriormente al sentido de la relación entre pasado y presente en los dramas históricos. Pensemos ahora en la complejidad que esta relación adquiere en *El tragaluz*. Se trata, en cierto modo, de una obra «histórica»: Los hechos pertenecen al presente real (1967), pero se asiste a ellos desde el futuro de los investigadores. El espectador se encuentra temporalmente escindido: pertenece al futuro en cuanto forma parte del público del experimento, pero no puede dejar de reconocer en los personajes de la historia a sus propios contemporáneos. Aunque de otra manera, también en *Mito* se encuentra el espectador en la encrucijada de dos dimensiones temporales: el futuro en que la acción tiene lugar y el pasado mítico al que hace constante referencia. En *La detonación* se produce una verdadera «interiorización» del tiempo. El drama entero, de duración normal, corresponde a lo que, durante los segundos anteriores a su suicidio, pasa por la mente de Larra. El tiempo pierde su dimensión objetiva, mensurable; se repliega al interior de la conciencia, se subjetiviza. Para marcar la desaceleración con que presenta el drama el vertiginoso ritmo de las evocaciones del protagonista, las breves escenas «reales» se ejecutan a ritmo lento.

La aparición de personajes-narradores en algunas obras constituye una importante novedad en la construcción del relato dramático. Tales personajes actúan como «mediadores» entre la historia que se representa y el público que asiste a ella; pero su estatuto teórico no es idéntico al del «narrador» de la novela o el cuento. La narrativa utiliza el lenguaje como *único* medio de representación y el narrador es en ella el sujeto de la enunciación, el hablante imaginario que cuenta la historia. En el teatro las acciones, los gestos, los caracteres y hasta las palabras de los personajes se presentan directamente, sin la mediación del lenguaje; se actúan, no se cuentan. De ahí que la función del «narrador» sea necesariamente más limitada en el teatro que en la literatura. Martín, el personaje de *Las Meninas,* no llega a asumir esta función de una manera decidida. El drama, que se abre y se cierra con sendas intervenciones suyas, *como si* fuera él quien cuenta la historia, transcurre en su conjunto según la forma de presentación tradicional. Tres dramas posteriores se estructuran ya decididamente como «relatos» organizados y presentados por personajes-narradores: *La doble historia del doctor Valmy, El tragaluz* y *Caimán.* La relación entre el narrador y la historia es, en cada caso, diferente. Los investigadores de *El tragaluz* son completamente ajenos a la historia que recuperan del pasado. Varios siglos los separan de ella. Son meros «observadores». El doctor Valmy es sobre todo «testigo» del drama de sus pacientes. Su participación en él, como personaje, es muy limitada. La narradora de *Caimán,* sin embargo, es también un personaje importante de la historia relatada. Aunque se trata de una sola «persona», cada función da lugar a un «papel» dramático (representado por actrices distintas): la adolescente (personaje) y la mujer (narradora), que sólo al final identificamos con aquélla. En los tres casos, cuando comienza la representación, la acción ha concluido. El relato se presenta como pasado con respecto al presente del narrador, que tiene la facultad de interrumpirlo y comentarlo. No asistimos propiamente a unas ac-

Introducción 49

ciones, sino a la evocación que las revive, esto es, a un recuerdo (ya sea, como en el caso de *El tragaluz*, artificial, «tecnológico»). El espacio es, como el tiempo, interior, evocado, recuperado por la memoria. De esta manera la utilización del escenario simultáneo adquiere una sutil justificación.

Con la introducción de personajes-narradores en sus obras, Buero Vallejo no pretende conseguir un efecto brechtiano, de distanciamiento, como él mismo ha declarado a propósito de *El tragaluz*. Y, en efecto, el resultado concuerda poco con la ortodoxia del «teatro épico»: las tres obras a que nos venimos refiriendo se cuentan precisamente entre las de mayor intensidad «dramática»; rayan en ocasiones —y, según algunos, se adentran incluso— en el melodrama.

La participación. El punto de vista del personaje

La investigación formal más continuada y original que Buero Vallejo ha desarrollado en su andadura teatral se centra en el problema de la participación. El propósito es de sentido contrario a la *distancia* o el *extrañamiento* crítico pretendido por Brecht. Se trata de potenciar la *identificación del* público con determinados personajes. La participación *física*, muy del gusto de corrientes vanguardistas de raíz más o menos artaudiana, queda también descartada por extremosa. Lo que Buero Vallejo intenta conseguir es una «reinteriorización psíquica del público» mediante la implantación del punto de vista del personaje, esto es, haciendo que el público perciba la acción dramática tal como la percibe algún personaje, compartiendo su «visión», identificándose con su «punto de vista».

En la versión definitiva de *En la ardiente oscuridad* aparece el primer efecto de participación. Durante una conversación entre Ignacio y Carlos, en el tercer acto, la escena se oscurece por completo. El espectador comparte, por un momento, la ceguera de los personajes. El recurso produjo algún desconcierto entre el público del estreno, que «creyó que era uno de los apagones frecuentes en la sala, aunque Buero consigna la observación de

'que inquietaba al espectador y de que alguno gritó'».[17] El
procedimiento, para el que Doménech ha acuñado el marbete
de «efectos de inmersión», se repite en no pocas obras. Todo un
cuadro de *Aventura en lo gris* es la escenificación de «El sueño», común y simultáneo, de siete personajes. En *La doble historia del doctor Valmy* el público «ve» el sueño de Mary Barnes,
igual que asiste a los de Juan Luis en *Jueces en la noche*. El
ruido del tren, que es un «pensamiento», que sólo suena en la
mente de un personaje, es escuchado también por el espectador
de *El tragaluz*. En todos los casos el público comparte la visión
subjetiva de uno o varios personajes. La escena en que David
(ciego), después de apagar el único farol, mata en la oscuridad
a Valindin *(El concierto de San Ovidio)* no debe incluirse entre
los «efectos de inmersión». El apagón está ahora «justificado»,
la oscuridad es *objetiva*, el público asiste a la escena, lo mismo
que al resto de la obra, como observador externo, no desde el
punto de vista de personaje alguno.[18]

Pero Buero Vallejo no se limita a la utilización de tales efectos, ya empleados antes en el teatro. (Recordemos, por ejemplo,
que en la escena del banquete de *Macbeth* el espectro de Ban-
quo sólo es visible para Macbeth y los espectadores. Shakespeare impone al público la «visión» de su personaje, hace uso, si
se quiere, de un «efecto de inmersión»). La originalidad de nuestro dramaturgo consiste en llevar la experimentación de este recurso hasta el límite de convertirlo en principio de construcción
dramática. No se trata ya de efectos, sino de «obras de inmersión», de *dramas subjetivos*. Es en la etapa que va desde *El sueño de la razón* hasta *Jueces en la noche* en la que el autor lleva
la implantación del punto de vista subjetivo de un personaje
hasta sus últimas consecuencias; pero en dos obras de su primera producción este recurso aparece ya ocupando el centro de la

---

[17] Carmen González-Cobos Dávila, *op. cit.*, p. 33.
[18] José Ramón Cortina piensa, por el contrario, que en esta obra el autor «vuelve a utilizar el recurso, sólo que esta vez el efecto queda mejor logrado, al justificarse el 'apagón'», mientras que en su primera obra «el autor no lo conectó con
la acción» *(El arte dramático de Antonio Buero Vallejo*, Madrid, Gredos, 1969, p.
114).

estructura dramática. Nos referimos a *Casi un cuento de hadas* e *Irene o el tesoro*.

El personaje de Riquet cobra, en *Casi un cuento de hadas*, dos «apariencias»: la primera, de una terrible fealdad, corresponde a la visión objetiva; la segunda, que coincide con la visión subjetiva de algunos personajes, es de singular belleza. Cuando Riquet el hermoso aparece en escena el público se encuentra sometido al punto de vista del personaje que, a causa del amor (Leticia, Oriana y Laura) o por la proximidad de la muerte (Armando), «ve» la apariencia bella. Pero este planteamiento no mantiene su coherencia a lo largo de toda la obra. En el acto tercero asistimos a un monólogo-diálogo entre el Riquet feo y el hermoso, solos en escena. La visión subjetiva parece desligarse del personaje que la sustenta, se objetiviza y se confronta con la visión propiamente objetiva. Las categorías de «real» y «maravilloso» se superponen a las de objetividad y subjetividad. Algo similar ocurre en *Irene o el tesoro*, aunque todavía más abiertamente. Entre los personajes del drama sólo Irene percibe la presencia del duende Juanito. Ahora bien, ¿es éste —y solamente— una «visión» subjetiva de Irene? Como observó Borel, «el espectador es, con seguridad, testigo de esta realidad antes que nadie venga a interpretarla. Incluso se asombra de que no todo el mundo vea a Juanito. Son ciegos, puesto que la personita *está ahí*. Y después surgen las explicaciones 'lógicas'», [19] pero que no alcanzan, en nuestra opinión, una fuerza equiparable a la de la *presencia* del duende. Los diálogos de éste con La voz, ¿pueden acaso concebirse como «pensados» por Irene? Concluir que uno y otra son «creaciones» de la mente de este personaje no es sino una manera —y la más limitada— de comprender el drama. La otra, más rica y sugerida —nos parece— con más fuerza, consiste en admitir *la realidad de lo maravilloso*, en conceder a Juanito, a La voz, al camino de luz por el que escapa Irene, una existencia real, sólo percibida por un personaje (y los espectadores) pero no «creada» por él; una existencia, en fin, objetiva.

---

[19] *Op. cit.*, p. 253.

Con *El sueño de la razón* el dramaturgo reemprende su experimentación en torno al drama subjetivo desde unos supuestos más rigurosos. Las escenas subjetivas responden al punto de vista de un solo personaje, que es además el protagonista de cada obra. (Sólo en *El sueño de la razón* se produce un momentáneo desplazamiento del punto de vista de Goya al de Fernando VII.) Iglesias Feijóo ha notado un proceso de creciente subjetivización en los cuatro primeros dramas. Tanto en el primero como en *Llegada de los dioses* las escenas subjetivas y objetivas se alternan. *La Fundación*, más que alternancia, presenta un paulatino tránsito desde la visión subjetiva de Tomás hasta la objetividad. En *La detonación* sólo unos instantes del principio y el final responden a la visión objetiva. El drama se desarrolla, casi en su totalidad, en la mente de Larra. Sin embargo, Buero Vallejo vuelve a utilizar la alternancia entre punto de vista subjetivo y objetivo en *Jueces en la noche* y abandona la construcción subjetiva en *Caimán,* aunque utilice ocasionales «efectos de inmersión». En *Diálogo secreto* vuelven a intensificarse los recursos de interiorización.

Valorar los resultados del experimento formal someramente descrito no resulta fácil. Ruiz Ramón ha expresado el temor de que conduzca a un «peligroso manierismo formalista», mientras que Iglesias Feijóo hace una defensa cerrada del procedimiento. Es, en último término, una rigurosa crítica teatral (de la representación) la que podrá dar cuenta de la eficacia (o no) de este recurso dramático.[20]

7. Noticia de *El tragaluz*

El tragaluz se estrenó la noche del 7 de octubre de 1967 en el teatro Bellas Artes de Madrid, con el siguiente reparto:

ELLA	Carmen Fortuny
ÉL	Sergio Vidal
ENCARNA	Lola Cardona

---

[20] Cfr. José Luis García Barrientos, «Punto de vista y teatralidad (El ejemplo de Buero Vallejo)», *Actas del Congreso Internacional sobre Semiótica e Hispanismo,* Madrid, 20-24 de junio de 1983 (en prensa).

bajo la dirección de José Osuna y con decorado de Sigfrido Bur-
man. Constituyó un gran éxito de público. Se mantuvo en car-
telera toda la temporada, hasta el 7 de junio de 1968, y fue llevado después en gira por toda España. Las críticas fueron, en
general, muy positivas. La importancia de la obra fue recono-
cida por casi todos, aunque no faltaron «contestaciones» ideo-
lógicas ni algún reparo dramático, principalmente en relación
con los experimentadores. El ambiente de polémica en que se
vio envuelta contribuyó seguramente al éxito de la obra: *El tragaluz* se convirtió en un espectáculo «que había que ver». Por
primera vez se hablaba abiertamente, sobre un escenario, de la
guerra civil desde el punto de vista de los vencidos. La aparición de personajes-narradores, en un marco de ficción científica, constituía una llamativa novedad formal, cuando no había
podido verse todavía *La doble historia del doctor Valmy*. Todo
ello, unido a los muchos aspectos de la obra que reclaman una
interpretación, explica que ésta sea, entre las del autor, una de
las más —y más pronto— estudiadas.

Buero Vallejo había comenzado a escribirla a principios de
1965 y la tenía terminada en el otoño de 1966. Según relata José
Osuna,

> en una primera lectura en casa de Tamayo, en la primavera del
> 67, la obra duró cerca de tres horas. Cuando Buero la leyó a la
> compañía ya había suprimido cerca de media. Pero, aun así, so-
> braba otra media (...). Dedicamos la primera semana de ensayos
> a cortar y simplificar.[21]

Para los detalles de la puesta en escena, remitimos a las palabras del propio José Osuna reproducidas en el documento número 5.

---

[21] «Las dificultades de mi puesta en escena», *Primer Acto*, núm. 90 (1967), p. 16.

Bibliografía

Borel, Jean Paul: *Théâtre de l'impossible*, Neuchâtel, La Braconnière, 1963. (Traducción de G. Torrente Ballester, *Teatro de lo imposible*, Madrid, Guadarrama, 1966.) Con el subtítulo de «Ensayo sobre una de las dimensiones fundamentales del teatro español contemporáneo», aborda el estudio de las obras dramáticas de Lorca, Benavente, Unamuno, Valle-Inclán y Buero Ballejo. La consideración de este último ocupa las pp. 225-278 y tiene en cuenta la producción de Buero hasta *Un soñador para un pueblo* (1958). Estudio fundamental —entre los primeros— sobre el autor.

Cortina, José Ramón: *El arte dramático de Antonio Buero Vallejo*, Madrid, Gredos, 1969 («Biblioteca Románica Hispánica»). La novedad de este breve tratado reside en el propósito —no satisfactoriamente logrado— de estudiar el «arte» dramático de Buero. Resume la concepción que de la tragedia tiene el dramaturgo y la confronta con sus obras, hasta *El concierto de San Ovidio* (1962).

Doménech, Ricardo: *El teatro de Buero Vallejo*, Madrid, Gredos, 1973 («Biblioteca Románica Hispánica»). Título fundamental en la bibliografía crítica sobre el dramaturgo, ofrece una interpretación consistente de su teatro. Los problemas de contenido encuentran un tratamiento más detenido que los de forma dramática. La última pieza considerada es *Llegada de los dioses* (1971).

González-Cobos Dávila, Carmen: *Antonio Buero Vallejo: el hombre y su obra*, Salamanca, Universidad, 1979. Destaca el enfoque de la relación entre el dramaturgo y su obra. El capítulo primero contiene la aportación biográfica. La producción analizada alcanza hasta *La Fundación* (1974).

Iglesias Feijóo, Luis: *La trayectoria dramática de Antonio Buero Vallejo*, Santiago de Compostela, Universidad, 1982. La más reciente y

completa monografía sobre el teatro de Buero. Ofrece un estudio de-
tallado de cada una de las obras, hasta *Jueces en la noche* (1979). Destaca la pretensión de integrar en el análisis los aspectos de contenido
y los —menos estudiados— de expresión o técnica dramática, así como
la actualización del aparato crítico y teórico empleado.

Ruiz Ramón, Francisco: *Historia del teatro español. Siglo XX,* Madrid,
Cátedra, 1975, 2.ª ed. muy ampliada. Es la historia de nuestro teatro
contemporáneo más completa y rigurosa. Las páginas 337-384 contienen, bajo el título de «Buero Vallejo y la pasión de la verdad», el estudio del autor. La consideración de su obra se detiene en *La Fundación* (1974).

Verdú de Gregorio, Joaquín: *La luz y la oscuridad en el teatro de Buero
Vallejo,* Barcelona, Ariel, 1977. Más que de un estudio monográfico
de la dicotomía expresada en el título, se trata de un análisis —sobre
todo temático— de las obras de Buero hasta *La Fundación* (1974).

Antonio Buero Vallejo durante la lectura de su discurso de ingreso en la Real Academia Española (21-V-1972).

Buero Vallejo en el estreno de *Historia de una escalera* (14-X-1949).

José M.ª Rodero, Francisco Pierrá y Paco Sanz en *El tragaluz* (1967).

Manuscrito autógrafo de *El tragaluz*.

Una escena del estreno de *El tragaluz* (1967).

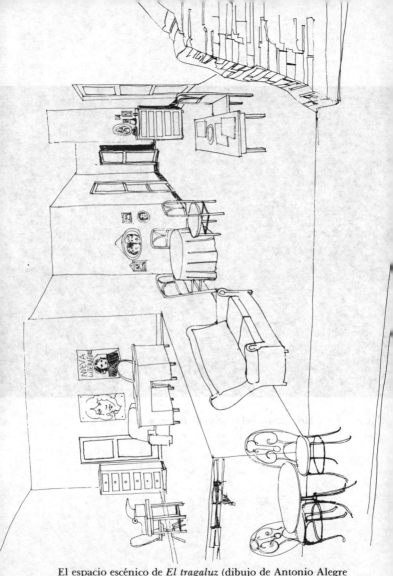

El espacio escénico de *El tragaluz* (dibujo de Antonio Alegre Cremades).

Nota previa

La edición de la obra no plantea problemas textuales. Las modificaciones que hubieron de hacerse por exigencia de la censura fueron mínimas y pueden verse en el artículo de Patricia W. O'Connor, «Censorship in the Contemporary Spanish Theater and Antonio Buero Vallejo», *Hispania,* LII (1969), pp. 282-7. Reproducimos el texto de la edición de Ricardo Doménech (Madrid, Castalia, 1971), al que hemos sometido a una cuidadosa revisión. Se han corregido algunas erratas y suprimimos la mayúscula de «Padre» cuando aparece escrito así en las acotaciones (muy raramente).

Los fragmentos encerrados entre corchetes fueron suprimidos en las representaciones.

EL TRAGALUZ

Experimento en dos partes

PERSONAJES

ELLA

ÉL

ENCARNA

VICENTE

EL PADRE

MARIO

LA MADRE

ESQUINERA (no habla)

CAMARERO (no habla)

VOCES Y SOMBRAS DE LA CALLE

Derecha e izquierda, las del espectador.

PARTE PRIMERA

El experimento suscita sobre el espacio escénico la impresión, a veces vaga, de los lugares que a continuación se describen.
El cuarto de estar de una modesta vivienda instalada en un semisótano ocupa la escena en sus dos tercios derechos. En su pared derecha hay una puerta. En el fondo, corto pasillo que conduce a la puerta de entrada a la vivienda. Cuando ésta se abre, se divisa la claridad del zaguán. En la pared derecha de este pasillo está la puerta del dormitorio de los padres. En la de la izquierda, la puerta de la cocina.
La pared izquierda del cuarto de estar no se ve completa: sólo sube hasta el borde superior de la del fondo, en el ángulo que forma con ella, mediante una estrecha faja, y en su parte inferior se extiende hacia el frente formando un rectángulo de metro y medio de alto.
Los muebles son escasos, baratos y viejos. Hacia la izquierda hay una mesa camilla pequeña, rodeada de dos o tres sillas. En el primer término de la derecha, silla contra la pared y, ante ella, una mesita baja. En el rectángulo inferior de la pared izquierda, un vetusto sofá. Algunas sillas más por los rincones. En el paño derecho del fondo, una cómoda. La jarra de agua, los vasos, el frutero y el cestillo del pan que sobre ella descansan muestran que también sirve de aparador. Sobre la mesita de la derecha hay papeles, un cenicero y algún libro. Por las paredes, clavados con

chinchetas, retratos de artistas y escritores recortados de revistas, postales de obras de arte y reproducciones de cuadros famosos arrancadas asimismo de revistas, alternan con algunos viejos retratos de familia.

El amplio tragaluz que, al nivel de la calle, ilumina al semisótano, es invisible: se encuentra en la cuarta pared[1] y, cuando los personajes miman el ademán de abrirlo, proyecta sobre la estancia la sombra de su reja.

El tercio izquierdo de la escena lo ocupa un bloque cuyo lado derecho está formado por el rectángulo inferior de la pared izquierda del cuarto de estar. Sobre este bloque se halla una oficina. La única pared que de ella se ve con claridad es la del fondo, que forma ángulo recto con la estrecha faja de pared que, en el cuarto de estar, sube hasta su completa altura. En la derecha de esta pared y en posición frontal, mesa de despacho y sillón. En la izquierda y contra el fondo, un archivador. Entre ambos muebles, la puerta de entrada. En el primer término izquierdo de la oficina y de perfil, mesita con máquina de escribir y silla. En la pared del fondo y sobre el sillón, un cartel de propaganda editorial en el que se lee claramente «Nueva Literatura» y donde se advierten textos más confusos entre fotografías de libros y de escritores; algunas de estas cabezas son idénticas a otras de las que adornan el cuarto de estar.

Ante la cara frontal del bloque que sostiene la oficina, el velador de un cafetín con dos sillas de terraza. Al otro lado de la escena y formando ángulo con la pared derecha del cuarto de estar, la faja frontal, roñosa y desconchada, de un muro callejero.

Por la derecha e izquierda del primer término, espacio para entradas y salidas.

En la estructura general no se advierten las techumbres: una extraña degradación de la luz o de la materia misma vuelve imprecisa la intersección de los lugares descritos; sus formas se presentan, a menudo, borrosas y vibrátiles.

---

[1] *cuarta pared:* plano de la boca del escenario. Concepto teatral, propio del naturalismo escénico, elaborado por el director francés André Antoine (1859-1943). Consiste en considerar la boca del escenario como la «cuarta pared» ideal, transparente, de la habitación en que se desarrolla la acción dramática.

*La luz que ilumina a la pareja de investigadores es siempre
blanca y normal. Las sucesivas iluminaciones de las diversas escenas y lugares crean, por el contrario, constantes efectos de lividez e irrealidad.*

*(Apagadas las luces de la sala, entran por el fondo de la misma
Ella y Él: una joven pareja vestida con extrañas ropas, propias
del siglo a que pertenecen. Un foco los ilumina. Sus movimientos son pausados y elásticos. Se acercan a la escena, se detienen,
se vuelven y miran a los espectadores durante unos segundos.
Luego hablan, con altas y tranquilas voces.)*

ELLA. Bien venidos. Gracias por haber querido presenciar nuestro experimento.

ÉL. Ignoramos si el que nos ha correspondido [realizar] a nosotros dos os parecerá interesante.

ELLA. Para nosotros lo ha sido en alto grado. *(Mira, sonriente,
a su pareja.)* ¿Se decía entonces «en alto grado»?

ÉL. Sí. *(A los espectadores.)* La pregunta de mi compañera tiene su motivo. Os extrañará nuestro tosco modo de hablar, nuevo en estas experiencias. El Consejo ha dispuesto que los experimentadores usemos el léxico del tiempo que se revive. Os
hablamos, por ello, al modo del siglo veinte y, en concreto,
conforme al lenguaje de la segunda mitad de aquel siglo, ya
tan remoto. *(Suben los dos a la escena por una escalerilla y
se vuelven de nuevo hacia los espectadores.)* Mi compañera y
yo creemos haber sido muy afortunados al realizar este experimento, [por una razón excepcional]: la historia que hemos
logrado rescatar del pasado nos da, explícita ya en aquel [le-
jano] tiempo, *la pregunta.*

ELLA. Como sabéis, *la pregunta* casi nunca se encuentra en las
historias de las más diversas épocas que han reconstruido
nuestros detectores. En la presente historia la encontraréis formulada del modo más sorprendente.

ÉL. Quien la formula no es una personalidad notable, [nadie
de quien guardemos memoria]. Es un ser oscuro y enfermo.

ELLA. La historia es, como tantas otras, oscura y singular, pues hace siglos que comprendimos de nuevo la importancia... *(A su pareja.)* ¿Infinita?

ÉL. Infinita.

ELLA. La importancia infinita del caso singular. Cuando estos fantasmas vivieron solía decirse que la mirada a los árboles impedía ver el bosque. Y durante largas etapas llegó a olvidarse que también debemos mirar a un árbol tras otro para que nuestra visión del bosque [..., como entonces se decía...,] no se deshumanice. Finalmente, los hombres hubieron de aprenderlo para no sucumbir y ya no lo olvidaron.

(Él levanta una mano, mirando al fondo y a los lados de la sala. Oscilantes ráfagas de luz iluminan a la pareja y al telón.)

ÉL. Como los sonidos son irrecuperables, los diálogos se han restablecido mediante el movimiento de los labios y añadido artificialmente. Cuando las figuras se presentan de espaldas [o su visualidad no era clara], los calculadores electrónicos... *(A su pareja.)* ¿Se llamaban así [entonces]?

ELLA. Y también computadores, o cerebros.

ÉL. Los calculadores electrónicos han deducido las palabras no observables. Los ruidos naturales han sido agregados asimismo.

ELLA. Algunas palabras procedentes del tragaluz se han inferido igualmente mediante los cerebros electrónicos.

ÉL. Pero su condición de fenómeno real es, ya lo comprenderéis, más dudosa.

ELLA. *(Su mano recomienda paciencia.)* Ya lo comprenderéis...

ÉL. Oiréis además, en algunos momentos, un ruido extraño. [No pertenece al experimento y] es el único sonido que nos hemos permitido incluir por cuenta propia.

ELLA. Es el ruido de aquella desaparecida forma de locomoción llamada ferrocarril [y lo hemos recogido de una grabación antigua.] Lo utilizamos para expresar escondidas inquietudes que, a nuestro juicio, debían destacarse. Oiréis, pues, un tren; o sea, un pensamiento.

(El telón se alza. En la oficina, sentada a la máquina, Encarna. Vicente la mira, con un papel en la mano, sentado tras la mesa de despacho. En el cuarto de estar, El padre se encuentra senta-do a la mesa, con unas tijeras en la mano y una vieja revista ante él; sentado a la mesita de la derecha, con un bolígrafo en la mano y pruebas de imprenta ante sí, Mario. Los cuatro están inmóviles. Ráfagaz de luz oscilan sobre ambos lugares.)

ÉL. Como base de la experiencia, unos pocos lugares que los proyectores espaciales mantendrán simultáneamente visibles [aunque no siempre con igual nitidez.] *(Señala a la escena.)* En este momento trabajan a rendimiento mínimo y las figu-ras parecen inmóviles; actuarán a ritmo normal cuando les lle-gue su turno. [Os rogamos atención: el primer grupo de pro-yectores está llegando al punto idóneo...] *(Las ráfagas de luz fueron desapareciendo. En la oficina se amortigua la vibra-ción luminosa y crece una viva luz diurna. El resto de la es-cena permanece en penumbra. Encarna empieza, muy despa-cio, a teclear sobre la máquina.)* La historia sucedió en Ma-drid, capital que fue de una antigua nación llamada España.
ELLA. Es la historia de unos pocos árboles, ya muertos, en un bosque inmenso. [1]

---

(1) El drama al que vamos a asistir será el resultado del «experimen-to» que presentan Él y Ella, personajes de un tiempo futuro sin precisar en la obra (Buero Vallejo ha considerado que podría tratarse del siglo XXV o el XXX). El experimento constituye el «marco» de la «historia res-catada del pasado». El realismo de ésta se ve envuelto en la atmósfera de ficción científica de aquél. También en *Mito* ha incorporado el autor elementos de la literatura de «ciencia-ficción». Él y Ella pueden consi-derarse como personajes-narradores (o comentadores), a los que el autor había recurrido ya en *La doble historia del doctor Valmy*. En su prime-ra intervención revelan el objetivo —la *pregunta*, verdadero «leit-mo-tiv» de la obra— y las condiciones del experimento. Nótese, sobre todo, el carácter de «reconstrucción» de la historia: lo que vemos son imáge-nes proyectadas, los sonidos y palabras han sido «añadidos»; incluso se ha incluido «por cuenta propia» el ruido del tren, que es «un pensa-miento». Este y otros «efectos de inmersión» quedan así justificados. En

*(Él y Ella salen por ambos laterales. El ritmo del tecleo se vuel-
ve normal, pero la mecanógrafa no parece muy rápida ni muy
segura. En la penumbra del cuarto de estar, El padre y Mario
se mueven de tanto en tanto muy lentamente. Encarna copia un
papel que tiene al lado. Cuenta unos veinticinco años y su físico es vulgar, aunque no carece de encanto. Sus ropas, sencillas
y pobres. Vicente parece tener unos cuarenta o cuarenta y un
años. Es hombre apuesto y de risueña fisonomía. Viste cuidada
y buena ropa de diario. En su izquierda, un grueso anillo de
oro. Encarna se detiene, mira perpleja a Vicente, que la sonríe,
y vuelve a teclear.)*

ENCARNA. Creo que ya me ha salido bien.
VICENTE. Me alegro.

(Encarna teclea con ardor unos segundos. Suena el teléfono.)

ENCARNA. ¿Lo tomo?
VICENTE. Yo lo haré. *(Descuelga.)* Diga... Hola, Juan. *(Tapa el
  micrófono.)* Sigue, Encarnita. No me molestas. *(Encarna vuelve a teclear.)* ¿Los membretes? Mientras no se firme la escritura no debemos alterar el nombre de la Editora... ¿Cómo?
  Creí que aún teníamos una semana [por delante... Claro que
  asistiré.] *(Encarna saca los papeles del carro.)* ¡No he de ale-
  grarme, [hombre!] ¡Ahora sí que vamos a navegar con viento
  de popa!... No. De la nueva colección, el de más venta es el
  de Eugenio Beltrán, y ya hemos contratado para él tres tra-
  ducciones... Naturalmente: la otra novela de Beltrán pasa a la
  imprenta en seguida. Pasado mañana nos firma el contrato.
  Aún no la he mandado porque la estaba leyendo Encarnita.
  [*(Sonríe.)* Es un escritor a quien también ella admira mucho...] *(Se lleva una sorpresa mayúscula.)* ¿Qué dices?... ¡Te

la génesis de la obra, la historia completa fue concebida por el autor antes que el marco. El hallazgo de los experimentadores surgió después de
que Buero hubiera pensado en otras soluciones, como la introducción
de un coro.

atiendo, te atiendo! *(Frunce las cejas, disgustado.)* Sí, sí. Comprendo... Pero escucha... ¡Escucha, hombre!... ¡Que me escuches, te digo! Hay una serie de problemas que... Espera. *(Tapa el micrófono.)* Oye, Encarnita: ¿me has reunido las revistas y las postales?

ENCARNA. Es cosa de un momento.

VICENTE. Hazlo ya, ¿quieres? *(Mira su reloj.)* Nos vamos en seguida; ya es la hora.

ENCARNA. Bueno.

(Sale por el fondo.)

VICENTE. *(Al teléfono.)* Escucha, Juan. Una cosa es que el grupo entrante intervenga en el negocio y otra [muy distinta] que trate de imponernos sus fobias[2] literarias, o políticas, o lo que sean. [No creo que debamos permitir... ¡Sabes muy bien a qué me refiero!... ¿Cómo que no lo sabes?] ¡Sabes de sobra que se la tienen jurada a Eugenio Beltrán [que lo han atacado por escrito, que...] *(Se exalta.)* ¡Juan, hay contratos vigentes, y otros en puertas!... ¡Atiende, hombre!... *(De mala gana.)* Sí, sí, te oigo... *(Su cara se demuda; su tono se vuelve suave.)* No comprendo por qué llevas la cuestión a ese terreno... Ya sé que no hay nadie insustituible, y yo no pretendo serlo... Por supuesto: la entrada del nuevo grupo me interesa tanto como a ti... *(Escucha, sombrío.)* Conforme... *(Da una iracunda palmada sobre la mesa.)* ¡Pues tú dirás lo que hacemos!... [¡A ver! ¡Tú mandas!...] Está bien: ya pensaré lo que le digo a Beltrán. [Pero, ¿qué hacemos si hay nuevas peticiones de traducción?... Pues también torearé ese toro, sí, señor...] *(Amargo.)* Comprendido, Juan. ¡Ha muerto Beltrán,[2] viva la Editora!...

---

[2] *fobias:* aversiones apasionadas.

(2) Este personaje, que no aparece nunca en escena, desempeña un papel de cierta importancia en la trama. Algunos críticos han creído ver en él un trasunto autobiográfico. (Más adelante se habla de su tercera novela, cuyo título, *Historia secreta,* puede recordar el de la primera

¡Ah, no! En eso te equivocas. Beltrán me gusta, pero admito que se está anquilosando... Una lástima. *(Encarna vuelve con un rimero*[3] *de revistas ilustradas, postales y un sobre. Lo pone todo sobre la mesa. Se miran. El tono de Vicente se vuelve firme y terminante.)* Comparto tu criterio; puedes estar seguro. No estamos sólo para ganar cuartos [como tenderos], sino para velar por la nueva literatura... Pues siempre a tus órdenes... Hasta mañana. *(Cuelga y se queda pensativo.)* Mañana se firma la nueva escritura, Encarna. El grupo que entra aporta buenos dineros. Todo va a mejorar, y mucho.

ENCARNA. ¿Cambiaréis personal?

VICENTE. De aquí no te mueves, ya te lo he dicho.

ENCARNA. Ahora van a mandar otros tanto como tú... [Y no les gustará mi trabajo.]

[VICENTE. Yo lo defenderé.]

[ENCARNA.] Suponte que te ordenan echarme...

[VICENTE. No lo harán.

ENCARNA. ¿Y si lo hacen?]

VICENTE. Ya te encontraría yo otro agujero.

ENCARNA. *(Con tono de decepción.)* ¿Otra... oficina?

VICENTE. ¿Por qué no?

ENCARNA. *(Después de un momento.)* ¿Para que me acueste con otro jefe?

VICENTE. *(Seco.)* Puedo colocarte sin necesidad de eso. Tengo amigos.

ENCARNA. Que también me echarán.

VICENTE. *(Suspira y examina sus papeles.)* Tonterías. No vas a salir de aquí. *(Consulta su reloj.)* ¿Terminaste la carta?

ENCARNA. *(Suspira.)* Sí.

---

[3] *rimero:* pila, montón.

obra estrenada por Buero Vallejo.) La atribución nos parece insuficientemente fundada y, en todo caso, si subsiste alguna ambigüedad, no creemos que sea intencionada, habida cuenta de los elogios que, como hombre y como escritor, hace Mario de Beltrán más adelante. Se trata simplemente de *un escritor* honesto y valioso, cuya «limpieza» agrava la conducta de Vicente.

(Va a la máquina, recoge la carta y se la lleva. Él la repasa.)

VICENTE. ¡Mujer!

(Toma un lápiz rojo.)

ENCARNA. *(Asustada.)* ¡«Espléndido» es con «ese»! ¡Estoy se-
gura!
VICENTE. Y «espontáneo» también.
ENCARNA. ¿Expontáneo?
VICENTE. Como tú lo dices es con equis, pero lo dices mal.

(Tacha con el lápiz.)

[ENCARNA. *(Cabizbaja.)* No valgo.
VICENTE. Sí que vales. *(Se levanta y le toma la barbilla.)* A pe-
sar de todo, progresas.]
ENCARNA. *(Humilde.)* ¿La vuelvo a escribir?
VICENTE. [Déjalo para] mañana. ¿Terminaste la novela de
Beltrán?
ENCARNA. Te la dejé aquí.

*(Va al archivador y recoge un libreto que hay encima, lle-
vándoselo.)*

VICENTE. *(Lo hojea.)* Te habrá parecido... espléndida.
ENCARNA. Sí... Con «ese».
[VICENTE. Te has emocionado, has llorado...
ENCARNA. Sí.]
VICENTE. No me sorprende. Peca de ternurista.
ENCARNA. Pero..., si te gustaba...
VICENTE. [Y me gusta.] El es de lo mejor que tenemos. Pero en
esta última se ha excedido. *(Se sienta y guarda el libreto en
un cajón de la mesa.)* La literatura es faena difícil, Encarnita.
Hay que pintar la vida, pero sin su trivialidad. [Y la vida es
trivial. ¡Afortunadamente!] *(Se dispone a tomar el rimero de
revistas.)* [Las postales, las revistas...] *(Toma el sobre.)* Esto
¿qué es?

ENCARNA. Pruebas para tu hermano.

VICENTE. ¡Ah, sí! Espera un minuto. Quiero repasar uno de los
artículos del próximo número. *(Saca las pruebas.)* [Aquí está.]
(Encarna se sienta en su silla.) Sí, Encarnita. La literatura es
difícil. Beltrán, por ejemplo, escribe a menudo: «Fulana piensa esto, o lo otro...» Un recurso muy gastado. *(Por la prueba.)*
Pero este idiota lo elogia... Sólo puede justificarse cuando un
personaje le pregunta a otro: «¿En qué piensas?»... *(Ella lo
mira, cavilosa. Él se concentra en la lectura. Ella deja de mirarlo y se abstrae. El primer término se iluminó poco a poco.
Entra por la derecha una golfa, cruza y se acerca al velador
del cafetín. Tiene el inequívoco aspecto de una prostituta ba-
rata y ronda ya los cuarenta años. Se sienta al velador, saca
de su bolso una cajetilla y extrae un pitillo. Un camarero fla-
co y entrado en años aparece por el lateral izquierdo y, con
gesto cansado, deniega con la cabeza y con un dedo, indican-
do a la esquinera que se vaya. Ella lo mira con zumba[4] y extiende las manos hacia la mesa, como si dijese: «¡Quiero tomar algo!» El Camarero vuelve a denegar y torna a indicar,
calmoso, que se vaya. Ella suspira, guarda el pitillo que no
encendió y se levanta. Cruza luego hacia la derecha, se detiene y, aburrida, se recuesta en la desconchada pared. Vicente
levanta la vista y mira a Encarna.)* Y tú, ¿en qué piensas? *(Abstraída, Encarna no responde.)* ¿Eh?... *(Encarna no le oye. Con
risueña curiosidad, Vicente enciende un cigarrillo sin dejar de
observarla. Con un mudo «¡Hale!» y un ademán más enérgico, el Camarero conmina a la prostituta a que se aleje. Con
un mudo «¡Ah!» de desprecio, sale ella por el lateral derecho.
El Camarero pasa el paño por el velador y sale por el lateral
izquierdo. La luz del primer término se amortigua un tanto.
Irónico, Vicente interpela a Encarna.)* ¿En qué piensas...,
Fulana?

ENCARNA. *(Se sobresalta.)* ¿Fulana?

---

[4] *zumba:* chanza, burla.

VICENTE.. Ahora sí eras un personaje de novela. Algo pensabas. [3]

ENCARNA. Nada...

VICENTE. ¿Cenamos juntos?

(Vuelve a leer en la prueba.)

ENCARNA. Ya sabes que los jueves y viernes ceno con esa amiga de mi pueblo.

VICENTE. Cierto. Hoy es jueves. Recuérdame mañana que llame a Moreno. Urge pedirle un artículo para el próximo número.

[ENCARNA. ¿No estaba ya completo?]

[VICENTE..] Éste no sirve.

(Separa la prueba que leía y se la guarda.)

ENCARNA. *(Mientras cubre la máquina.)* ¿Cuál es?

VICENTE. El de Torres.

ENCARNA. ¿Sobre Eugenio Beltrán?

VICENTE. Sí. *(Se levanta.)* ¿Te acerco?

ENCARNA. No. ¿Vas a casa de tus padres?

VICENTE. Con toda esta broza. [5] *(Golpea sobre el montón de re-*

---

[5] *broza:* conjunto de despojos, desperdicios, cosas inútiles.

(3) La escena muda que acaba de transcurrir en el cafetín es la visualización de un pensamiento de Encarna: el fantasma de la prostitución, que la perseguirá hasta el último momento de la obra. Comienza cuando ella «se abstrae» y dura mientras permanece abstraída. Su sobresalto cuando escucha la palabra «Fulana» y la siguiente réplica de Vicente confirman el carácter subjetivo de cuanto hemos visto en el primer término. Nos encontramos, pues, ante un «efecto de inmersión»: el público comparte la *visión* interior de Encarna. Por otra parte se trata de una auténtica «ironía del autor»: Buero se burla de la crítica oportunista que hace Vicente del uso por parte de Beltrán de *narradores omniscientes* que descubren los pensamientos de los personajes. Y lo hace aplicando él mismo a continuación un recurso dramático equivalente al procedimiento narrativo criticado, haciendo visible sobre la escena lo que Encarna piensa.

vistas y toma, risueño, las postales.) Esta postal le gustará a
mi padre. Se ve a la gente andando por la calle y eso le en-
canta. *(Examina las postales. El cuarto de estar se iluminó
poco a poco con luz diurna. Los movimientos de sus ocupan-
tes se han normalizado. El padre, sentado a la mesa, recorta
algo de una vieja revista. Es un anciano de blancos cabellos
que representa más de setenta y cinco años. Su hijo Mario, de
unos treinta y cinco años, corrige pruebas. Ambos visten con
desaliño y pobreza. El padre, un traje muy usado y una vieja
bata; el hijo, pantalones oscuros y jersey. Vicente se recuesta
en el borde de la mesa.)* [Debería ir más a menudo a visitar-
los, pero estoy tan ocupado... Ellos, en cambio, tienen poco
que hacer. No han sabido salir de aquel pozo...] Menos mal
que el viejo se ha vuelto divertido. *(Ríe, mientras mira las postales.)* ¿Te conté lo del cura?

ENCARNA. No.

VICENTE. Se encontró un día con el cura de la parroquia, que
iba acompañado de una feligresa. Y le pregunta mi padre,
muy cumplido: ¿Esta mujer es su señora? *(Ríen.)* Iba con el
señor Anselmo, que le da mucha compañía, pero que nunca
le discute nada.

ENCARNA. Pero... ¿está loco?

VICENTE. No es locura, es vejez. [Una cosa muy corriente:] ar-
terioesclerosis. Ahora estará más sujeto en casa: les regalé la
televisión el mes pasado. *(Ríe.)* [Habrá que oír las cosas que
dirá el viejo.] *(Tira una postal sobre la mesa.)* Esta postal no
le gustará. No se ve gente.

*(Se abstrae. Se oye el ruido de un tren remoto, que arranca, pita
y gana rápidamente velocidad. Su fragor crece y suena con fuerza durante unos segundos. Cuando se amortigua, El padre habla en el cuarto de estar. Poco después se extingue el ruido en
una ilusoria lejanía.)*

EL PADRE. *(Exhibe un monigote que acaba de recortar.)* Éste
también puede subir.

(Mario interrumpe su trabajo y lo mira.)

MARIO. ¿Adónde?
EL PADRE. Al tren.
MARIO. ¿A qué tren?
EL PADRE. *(Señala al frente.)* A ése.
MARIO. Eso es un tragaluz.
EL PADRE. Tú que sabes...[4]

(Hojea la revista.)

ENCARNA. *(Desconcertada por el silencio de Vicente.)* ¿No nos vamos?

(Abstraído, Vicente no contesta. Ella lo mira con curiosidad.)

MARIO. *(Que no ha dejado de mirar a su padre.)* Hoy vendrá Vicente.
EL PADRE. ¿Qué Vicente?
MARIO. ¿No tiene usted un hijo que se llama Vicente?
EL PADRE. Sí. El mayor. No sé si vive.
MARIO. Viene todos los meses.
EL PADRE. Y tú, ¿quién eres?
MARIO. Mario.
EL PADRE. ¿Tú te llamas como mi hijo?
MARIO. Soy su hijo.
EL PADRE. Mario era más pequeño.
MARIO. He crecido.
EL PADRE. Entonces subirás mejor.
MARIO. ¿Adónde?
EL PADRE. Al tren.

~~~~~~~~~~

(4) Una de las manías recurrentes de El padre —siempre cargadas de sentido, como se verá— es la de confundir el tragaluz con el tren. Uno y otro son imágenes centrales de la obra. Al otro lado del tragaluz se encuentra la calle, «el tren de la vida», pero también, *realmente*, la sala con los espectadores de la función.

(Comienza a recortar otra figura. Mario lo mira, intrigado, y luego vuelve a su trabajo.)

VICENTE. *(Reacciona y coge el mazo de revistas.)* ¿Nos vamos?

ENCARNA. Eso te preguntaba.

VICENTE. *(Ríe.)* Y yo estaba pensando en las Batuecas, como cualquier personaje de Beltrán.[5] *(Mete en su cartera las revistas, las postales y el sobre. Encarna recoge su bolso y va a la mesa, de donde toma la postal abandonada. Vicente va a la puerta, se vuelve y la mira.)* ¿Vamos?

ENCARNA. *(Mirando la postal.)* Me gustaría conocer a tus padres.

VICENTE. *(Frío.)* Ya me lo has dicho otras veces.

ENCARNA. No te estoy proponiendo nada. Puede que no vuelva a decírtelo. *(Con dificultad.)* Pero... si tuviéramos un hijo, ¿lo protegerías?

VICENTE. *(Se acerca a ella con ojos duros.)* ¿Vamos a tenerlo?

ENCARNA. *(Desvía la mirada.)* No.

VICENTE. *(Le vuelve la cabeza y la mira a los ojos.)* ¿No?

ENCARNA. *(Quiere ser persuasiva.)* ¡No!...

VICENTE. Descuidarse ahora sería una estupidez mayúscula...

[ENCARNA. Pero si naciera, ¿lo protegerías?

VICENTE. Te conozco, pequeña, y sé a dónde apuntas.]

ENCARNA. ¡Aunque no nos casásemos! ¿Lo protegerías?

VICENTE. *(Seco.)* Si no vamos a tenerlo, es inútil la pregunta. Vámonos.

~~~~~~

(5) La anterior escena entre Mario y El padre ¿ocurre realmente o es la visualización de un pensamiento de Vicente? El paralelo con la que comentamos en 3 es muy marcado. Da comienzo también con la indicación de que el personaje «se abstrae», a lo que se suma el ruido del tren, que es «un pensamiento». Cuando termina, Vicente «reacciona». La especificación «como cualquier personaje de Beltrán» es otro signo de que se trata de una escena subjetiva. Pero ¿podría haber sucedido al mismo tiempo que Vicente la imaginaba, como sugieren después los investigadores?

(Vuelve a la puerta.)

ENCARNA. *(Suspira y comenta, anodina.)* Pensé que a tu padre le gustaría esta postal. Es un tren muy curioso, como los de hace treinta años.

VICENTE. No se ve gente.

(Encarna deja la postal y sale por el fondo seguida de Vicente, que cierra. Vuelve el ruido del tren. La luz se extingue en la oficina. Mario interrumpió su trabajo y miraba fijamente a su padre, que ahora alza la vista y lo mira a su vez. El ruido del tren se apaga. El padre se levanta y lleva sus dos monigotes de papel a la cómoda del fondo.)

EL PADRE. *(Musita, mientras abre un cajón.)* Estos tienen que aguardar en la sala de espera. *(Deja los monigotes y revuelve el contenido del cajón, sacando un par de postales.)* Recortaré a esta linda señorita. *(Canturrea, mientras vuelve a la mesa.)*

La Rosenda está estupenda.
La Vicenta está opulenta...

(Se sienta y se dispone a recortar.)

MARIO. [¿Por qué la recorta?] ¿No está mejor en la postal?

EL PADRE. *(Sin mirarlo.)* Sólo cuando hay mucha gente. Si los recortas entonces, los partes, [porque se tapan unos a otros.] Pero yo tengo que velar por todos, y, al que puedo, lo salvo.

MARIO. ¿De qué?

EL PADRE. De la postal. *(Recorta. Se abre la puerta de la casa y entra La madre con un paquete. Es una mujer agradable y de aire animoso. Aparenta unos sesenta y cinco años. El padre se interrumpe.)* ¿Quién anda en la puerta?

MARIO.. Es madre.

(La madre entra en la cocina.)

EL PADRE. *(Vuelve a recortar y canturrea.)*

La Pepica está muy rica...

MARIO. Padre.

EL PADRE. *(Lo mira.)* ¿Eh?

MARIO. ¿De qué tren habla? ¿De qué sala de espera? Nunca ha
hablado de ningún tren...

EL PADRE. De ése.

(Señala al frente.)

MARIO. No hay ningún tren ahí.

EL PADRE. Es usted bobo, señorito. ¿No ve la ventanilla?

*(El hijo lo mira y vuelve a su trabajo. La madre sale de la co-
cina con el paquete y entra en el cuarto de estar.)*

LA MADRE. Ya he puesto a calentar la leche; Vicente no tardará.

(Va a la cómoda y abre el paquete.)

EL PADRE. *(Se levanta y se inclina.)* Señora...

LA MADRE. *(Se inclina, burlona.)* Caballero...

EL PADRE. [Sírvase considerarse] como en su propia casa.

LA MADRE. *(Contiene la risa.)* Muy amable, caballero.

EL PADRE. Con su permiso, seguiré trabajando.

LA MADRE. Usted lo tiene. *(Vuelven a saludarse. El padre se
sienta y recorta. Mario, que no se ha reído, enciende un cigarrillo.)* Las ensaimadas ya no son como las de antes, pero a
tu hermano le siguen gustando. Si quisiera quedarse a cenar...

[MARIO. No lo hará.

LA MADRE. Está muy ocupado. Bastante hace ahora con venir
él a traernos el sobre cada mes.]

(Ha ido poniendo las ensaimadas en una bandeja.)

MARIO. [Habrán despedido al botones. *(Ella lo mira, molesta.)*]
¿Sabes que ya tiene coche?

LA MADRE. *(Alegre.)* ¿Sí? ¿Se lo has visto?

MARIO. Me lo han dicho.

LA MADRE. ¿Es grande?

MARIO. No lo sé.

LA MADRE. ¡A lo mejor lo trae hoy!

MARIO. No creo que llegue con él hasta aquí.

LA MADRE. Tienes razón. Es delicado. *(Mario la mira con leve sorpresa y vuelve a su trabajo. Ella se le acerca y baja la voz.)* Oye... ¿Le dirás tú lo que hizo tu padre?

MARIO. Quizás no pregunte.

LA MADRE. Notará la falta.

MARIO. Si la nota, se lo diré.

EL PADRE. *(Se levanta y va hacia la cómoda.)* La linda señorita ya está lista. Pero no sé quién es.

LA MADRE. *(Ríe.)* Pues una linda señorita. ¿No te basta?

EL PADRE. *(Súbitamente irritado.)* ¡No, no basta!

(Y abre el cajón bruscamente para dejar el muñeco.)

LA MADRE. *(A media voz.)* Lleva unos días imposible.

EL PADRE. ¡Caramba! ¡Pasteles!

(Va a tomar una ensaimada.)

LA MADRE. ¡Déjalas hasta que venga Vicente!

EL PADRE. ¡Si Vicente soy yo!

LA MADRE. Ya comerás luego. *(Lo aparta.)* [Anda, vuelve a tus postales, que eres como un niño.

EL PADRE. *(Se resiste.)* Espera...

LA MADRE. ¡Anda, te digo!

EL PADRE. Quiero darte un beso.

LA MADRE. *(Ríe.)* ¡Huy! ¡Mira por dónde sale ahora el vejestorio!

EL PADRE. *(Le toma la cara.)* Beso...

LA MADRE. *(Muerta de risa.)* ¡Quita, baboso!

EL PADRE. ¡Bonita!

(La besa.)

LA MADRE.   ¡Asqueroso! ¿No te da vergüenza, a tus años?

(Lo aparta, pero él reclina la cabeza sobre el pecho de ella, que mira a su hijo con un gesto de impotencia.)

EL PADRE.   Cántame la canción, bonita...
LA MADRE.   ¿Qué canción? ¿Cuándo te he cantado yo a ti nada?
EL PADRE.   De pequeño.
LA MADRE.   Sería tu madre. *(Lo empuja.)* ¡Y aparta, que me ahogas!
EL PADRE.   ¿No eres tú mi madre?
LA MADRE.   *(Ríe.)* Sí, hijo. A la fuerza.] Anda, siéntate y recorta.
EL PADRE.   *(Dócil.)* Bueno.

(Se sienta y husmea en sus revistas.)

LA MADRE.   ¡Y cuidado con las tijeras, que hacen pupa!
EL PADRE.   Sí, mamá.

(Arranca una hoja y se dispone a recortar.)

LA MADRE.   ¡Hum!... Mamá. Puede que dentro de un minuto sea la Infanta Isabel. *(Suena el timbre de la casa.)* ¡Vicente!

(Corre al fondo. Mario se levanta y se acerca a su padre.)

MARIO.   Es Vicente, padre. *(El padre no le atiende. La madre abre la puerta y se arroja en brazos de su hijo.)* Vicentito.

(Mario se incorpora y aguarda junto al sillón de su padre.)

LA MADRE.   ¡Vicente! ¡Hijo!
VICENTE.   Hola, madre.

(Se besan.)

LA MADRE.   *(Cierra la puerta y vuelve a abrazar a su hijo.)* ¡Vicentito!

VICENTE. *(Riendo.)* ¡Vamos, madre! ¡Ni que volviese de la Luna!

LA MADRE. Es que no me acostumbro a no verte todos los días, hijo.

(Le toma del brazo y entran los dos en el cuarto de estar.)

VICENTE. ¡Hola, Mario!

MARIO. ¿Qué hay?

(Se palmean, familiares.)

LA MADRE. *(Al padre.)* ¡Mira quién ha venido!

VICENTE. ¿Qué tal le va, padre?

EL PADRE. ¿Por qué me llama padre? No soy cura.

VICENTE. *(Ríe a carcajadas.)* ¡Ya veo que sigue sin novedad! Pues ha de saber que le he traído cosas muy lindas. *(Abre su cartera.)* Revistas y postales.

(Se las pone en la mesa.)

EL PADRE. Muy amable, caballero. Empezaba a quedarme sin gente y no es bueno estar solo.

(Hojea una revista.)

VICENTE. *(Risueño.)* ¡Pues ya tiene compañía! *(Se acerca a la cómoda.)* ¡Caramba! ¡Ensaimadas!

LA MADRE. *(Feliz.)* Ahora mismo traigo el café. ¿Te quedas a cenar?

VICENTE. ¡Ni dos minutos! Tengo mil cosas que hacer.

(Se sienta en el sofá.)

LA MADRE. *(Decepcionada.)* ¿Hoy tampoco?

VICENTE. De veras que lo siento, madre.

LA MADRE. [Si, al menos, vinieses más a menudo...

VICENTE. Ahora vengo todos los meses.
LA MADRE. Sí, claro.] Voy por el café.

(Inicia la marcha.)

VICENTE. *(Se levanta y saca un sobre azul.)* Toma, antes de que
se me olvide.
LA MADRE. Gracias, hijo. Viene a tiempo, ¿sabes? Mañana hay
que pagar el plazo de la lavadora.
VICENTE. Pues ve encargando la nevera.
LA MADRE. ¡No! Eso, todavía...
VICENTE. ¡Si no hay problema! Me tenéis a mí. *(La madre lo
mira, conmovida. De pronto le da otro beso y corre rápida a
refugiarse en la cocina.)* A ti te he traído pruebas.

*(Saca el sobre de su cartera. Mario lo toma en silencio y va a de-
jarlo en su mesita. Entre tanto, El padre se ha levantado y los
mira, caviloso. Da unos pasos y señala a la mesa.)*

EL PADRE. ¿Quién es ése?
VICENTE. ¿Cómo?
EL PADRE. Ese... que lleva un hongo.
VICENTE. ¿Qué dice?

*(Mario ha comprendido. El padre tira de él, lo lleva a la mesa
y pone el dedo sobre una postal.)*

EL PADRE. Aquí.
VICENTE. *(Se acerca.)* Es la plaza de la Ópera, en París. Todos
llevan hongo; es una foto antigua.
EL PADRE. Éste.
VICENTE. [¡Si apenas se ve!] Uno que pasó entonces, [como to-
dos éstos.] Uno cualquiera.
EL PADRE. *(Enérgico.)* ¡No!
[VICENTE. ¿Cómo quiere que sepamos quién es? ¡No es nadie!
EL PADRE. ¡Sí!]
MARIO. *(Suave.)* Ya habrá muerto.

EL PADRE. *(Lo mira asustado.)* ¿Qué dices?

(Busca entre las revistas y toma una lupa.)

VICENTE. ¿Una lupa?

MARIO. Tuve que comprársela. No es la primera vez que hace esa pregunta.

(El padre se ha sentado y está mirando la postal con la lupa.)

VICENTE. *(A media voz.)* ¿Empeora?

MARIO. No sé.

EL PADRE. No está muerto. Y esta mujer que cruza, ¿quién es? *(Los mira.)* Claro. Vosotros no lo sabéis. Yo, sí.

VICENTE. ¿Sí? ¿Y el señor del hongo?

EL PADRE. *(Grave.)* También.

VICENTE. Y si lo sabía, ¿por qué nos lo pregunta?

EL PADRE. Para probaros.

VICENTE. *(Le vuelve la espalda y contiene la risa.)* Se cree Dios...[6]

(El padre lo mira un segundo y se concentra en la postal. Mario esboza un leve gesto de aquiescencia.[6] La madre sale de la cocina con una bandeja repleta de tazones.)

LA MADRE. *(Mientras avanza por el pasillo.)* ¿Cuándo te vas a casar, Vicente?

EL PADRE. *(Mirando su postal.)* Ya me casé una vez.

LA MADRE. *(Mientras el hijo mayor ríe.)* Claro. Y yo otra. *(El padre la mira.)* ¡No te hablo a ti, tonto! *(Deposita la bandeja*

---

[6] *aquiescencia:* asentimiento.

(6) Dos cuestiones fundamentales afloran, por vez primera, en el diálogo: la formulación de la *pregunta* («¿Quién es ése?») y la relación, establecida por Vicente —aunque sea en tono de burla—, entre El padre y Dios.

y va poniendo tazones sobre la mesa.) ¡Y deja ya tus muñecos,
que hay que merendar! Toma. Para ti una pizca, que la leche
te perjudica. *(Le pone un tazón delante. Le quita la lupa y
la postal. Él la mira, pero no se opone. Ella recoge postales
y revistas, y las lleva a la cómoda.)* Siéntate, hijo. *(Vicente se
sienta a la mesa.)* Y yo junto al niño, porque si no se pone
perdido. *(Lleva las ensaimadas a la mesa.)* ¡Coge una ensaimada, hijo!

VICENTE.   Gracias.

(Toma una ensaimada y empieza a merendar. Mario toma otra.)

LA MADRE.   *(Sentada junto a su marido, le da una ensaimada.)*
¡Toma! ¿No querías una? *(El padre la toma.)* ¡Moja! *(El padre la moja.)* No me has contestado, hijo. ¿No te gusta alguna chica?

VICENTE.   Demasiadas.

LA MADRE.   ¡Asqueroso!

EL PADRE.   ¿Por dónde como esto?

LA MADRE.   ¡Muerde por donde has mojado!

[EL PADRE.   ¿Con qué lo muerdo?

LA MADRE.   ¡Con la boca!] *(El padre se lleva la ensaimada a los
ojos.)* ¡La boca, la boca! No hay quien pueda contigo. *(Le quita la ensaimada y se la va dando como a un niño, tocándole
los labios a cada bocado para que los abra.)* ¡Toma!

VICENTE.   ¿Así está?

MARIO.   Unas veces lo sabe y otras se le olvida.

LA MADRE.   Toma otra, Vicente.

EL PADRE.   ¿Tú te llamas Vicente?

VICENTE.   Sí.

EL PADRE.   ¡Qué casualidad! Tocayo mío.

(Vicente ríe.)

LA MADRE.   *(Al padre.)* Tú come y calla.

(Le brinda otro bocado.)

EL PADRE. No quiero más. ¿Quién va a pagar la cuenta?

LA MADRE. *(Mientras Vicente ríe de nuevo.)* Ya está pagada. Y toma...

EL PADRE. *(Rechaza el bocado y se levanta, irritado.)* [¡No quiero más!] ¡Me voy a mi casa!

LA MADRE. *(Se levanta e intenta retenerlo.)* ¡Si estás en tu casa!

EL PADRE. ¡Esto es un restaurante!

(Intenta apartar a su mujer. Vicente se levanta.)

LA MADRE. Escucha...

EL PADRE. ¡Tengo que volver con mis padres!

(Va hacia el fondo.)

LA MADRE. *(Tras él, le dice a Vicente.)* Disculpa, hijo. No se le puede dejar solo.

EL PADRE. *(En el pasillo.)* ¿Dónde está la puerta?

(Abre la de su dormitorio y se mete. La madre entra tras él, cerrando. Vicente da unos pasos hacia el pasillo y luego se vuelve hacia su hermano, que no se ha levantado.)

VICENTE. Antes no se enfadaba tanto...

MARIO. *(Trivial.)* Se le pasa pronto. *(Apura su tazón y se limpia la boca.)* ¿Qué tal va tu coche?

VICENTE. ¡Ah! ¿Ya lo sabes? Es poca cosa, aunque parece algo. Pero en estos tiempos resulta imprescindible...

MARIO. *(Muy serio.)* Claro. El desarrollo económico.

VICENTE. Eso. *(Se acerca.)* Y a ti, ¿qué tal te va?

MARIO. También prospero. Ahora me han encargado la corrección de estilo de varios libros.

VICENTE. ¿Tienes novia?

MARIO. No.

(Encarna entra por el primer término izquierdo. Vicente toma otra ensaimada y, mientras la muerde, vuelve al pasillo a escu-

char. Encarna consulta su reloj y se sienta al velador del cafetín, mirando hacia la derecha como si esperase a alguien.)[7]

VICENTE. Parece que está más tranquilo.

MARIO. Ya te lo dije.

VICENTE. *(Mira su reloj, vuelve al cuarto y cierra su cartera.)* Se me ha hecho tarde... *(El Camarero entra por la izquierda. Encarna y él cambian en voz baja algunas palabras. El Camarero se retira.)* Tendré que despedirme...

(Vicente inicia la marcha hacia el pasillo.)

MARIO. ¿Cómo encuentras a nuestro padre?

VICENTE. *(Se vuelve, sonriente.)* Muy divertido. [Lo del restaurante ha tenido gracia...] *(Se acerca.)* ¿No se le ha ocurrido ninguna broma con la televisión?

MARIO. Verás...

(Vicente mira a todos lados.)

VICENTE. ¿Dónde la habéis puesto? La instalaron aquí...

(Encarna consulta la hora, saca un libro de su bolso y se pone a leer.)

MARIO. ¿Has visto cómo se ha irritado?

[VICENTE. ¿Qué quieres decir?]

[MARIO.] Últimamente se irrita con frecuencia...

VICENTE. ¿Sí?

MARIO. Los primeros días [no dijo nada.] Se sentaba ante el aparato y de vez en cuando miraba a nuestra madre, que comentaba todos los programas contentísima, figúrate. A veces, él

---

(7) Nótese que en lo que sigue todo parece indicar que se trata de dos escenas reales que transcurren en lugares distintos simultáneamente. Las repetidas consultas al reloj así lo sugieren y las escenas siguientes lo confirman.

parecía inquieto y se iba a su cuarto sin decir palabra... Una noche transmitieron *El Misterio de Elche* y aquello pareció interesarle. A la mitad lo interrumpieron bruscamente para trufarlo[7] con todos esos anuncios de lavadoras, bebidas, detergentes... Cuando nos quisimos dar cuenta se había levantado y destrozaba a silletazos el aparato.

VICENTE. ¿Qué?

MARIO. Hubo una explosión tremenda. A él no le pasó nada, pero el aparato quedó hecho añicos... [Nuestra madre no se atrevía a decírtelo.]

(Un silencio. El Camarero vuelve al velador y sirve a Encarna un café con leche.)

VICENTE. *(Pensativo.)* Él no era muy creyente...

MARIO. No.

(Un silencio. Encarna echa dos terrones, bebe un sorbo y vuelve a su lectura.)

VICENTE. *(Reacciona.)* Al fin y al cabo, no sabe lo que hace.

MARIO. Reconocerás que lo que hizo tiene sentido.

VICENTE. Lo tendría en otra persona, no en él.

MARIO. ¿Por qué no en él?

[VICENTE. Sufre una esclerosis avanzada; algo fisiológico. Sus reacciones son disparatadas, y no pueden ser otra cosa.

MARIO. A veces parecen otra cosa. *(Movimiento de incredulidad de Vicente.)*] Tú mismo has dicho que se creía Dios...

VICENTE. ¡Bromeaba!

MARIO. Tú no le observas tanto como yo.

VICENTE. ¿También tú vas a desquiciarte, Mario? ¡Es una esclerosis senil![8]

MARIO. No tan senil.

---

[7] *trufarlo: trufar* es rellenar o entreverar de trufas: aquí, figuradamente, 'intercalar'. [8] *senil:* propio de la vejez.

VICENTE. No te entiendo.
MARIO. El médico habló últimamente de un posible factor
desencadenante...
VICENTE. Eso es nuevo... ¿Qué factor?
MARIO. No sé... Por su buen estado general, le extrañó lo avan-
zado del proceso. Nuestro padre tiene ahora setenta y seis años,
y ya hace cuatro que está así...
VICENTE. A otros les pasa con menos edad.
MARIO. Es que a él le sucedió por primera vez mucho antes.
[VICENTE. ¿Cómo?
MARIO. El médico nos preguntó y entonces yo recordé algo...
Pasó poco después de terminar] tú [el servicio militar, cuan-
do] ya te habías ido de casa.
VICENTE. ¿Qué sucedió?
MARIO. Se levantó una noche y anduvo por aquí diciendo in-
coherencias... Y sólo tenía cincuenta y siete años. Madre dor-
mía, pero yo estaba desvelado.
VICENTE. Nunca lo dijiste.
MARIO. Como no volvió a suceder en tantos años, lo había
olvidado.

(Un silencio.)

VICENTE. *(Pasea.)* [Quizás algo hereditario; quién sabe.] De todos modos, no encuentro que sus reacciones signifiquen
nada... Es como un niño que dice bobadas.
MARIO. No sé... Ahora ha inventado nuevas manías... Ya has visto una de ellas: preguntar quién es cualquier hombrecillo de
cualquier postal.

(Se levanta y va al frente, situándose ante el invisible tragaluz.)

VICENTE. *(Ríe.)* Según él, para probarnos. Es gracioso.
MARIO. Sí. Es curioso. ¿Te acuerdas de nuestro juego de
muchachos?
VICENTE. ¿Qué juego?
MARIO. Abríamos este tragaluz para mirar las piernas que pa-
saban y para imaginar cómo eran las personas.

VICENTE. *(Riendo.)* ¡El juego de las adivinanzas! Ni me acordaba.

MARIO. Desde que rompió la televisión, le gusta que se lo abramos y ver pasar la gente... [Es casi como entonces, porque yo le acompaño.]

VICENTE. *(Paseando.)* Como un cine.

MARIO. *(Sin volverse.)* Él lo llama de otro modo. Hoy ha dicho que es un tren.

(Vicente se detiene en seco y lo mira. Breve silencio. La madre sale del dormitorio y vuelve al cuarto de estar.)

LA MADRE. Perdona, hijo. Ahora ya está tranquilo.

VICENTE. Me voy ya, madre.

LA MADRE. ¿Tan pronto?

VICENTE. ¡Tan tarde! Llevo retraso.

MARIO. *(Que se volvió al oír a su madre.)* Yo también salgo.

VICENTE. ¿Te acerco a algún lado?

MARIO. Te acompaño hasta la esquina solamente. [Voy cerca de aquí.]

LA MADRE. También a mí me gustaría, por ver tu coche, que todo se sabe... [¿Lo has dejado en la esquina?]

VICENTE. [Sí.] No es gran cosa.

LA MADRE. Eso dirás tú. Otro día páralo aquí delante. No seas tan mirado... Pocas ensaimadas te has comido...

VICENTE. Otro día me tomaré la bandeja entera. *(Señala al pasillo.)* ¿Me despido de él?

LA MADRE. Déjalo, no vaya a querer irse otra vez. *(Ríe.)* ¿Sabes por dónde se empeñaba en salir de casa? ¡Por el armario!

VICENTE. *(Riendo, a su hermano.)* ¿No te lo dije? ¡Igual que un niño!

(Recoge su cartera y se encamina a la salida. Mario recoge de la mesita su cajetilla y va tras ellos.)

LA MADRE. ¡Que vuelvas pronto, hijo!

VICENTE. *(En el pasillo.)* ¡Prometido!

(Vicente abre la puerta de la casa, barbillea⁹ a su madre con afecto y sale.)

MARIO. *(Sale tras él.)* Hasta luego, madre.
LA MADRE. *(Desde el quicio.)* Adiós...

(Cierra con un suspiro, vuelve al cuarto de estar y va recogiendo los restos de la merienda, para desaparecer con ellos en la cocina. La luz se amortigua en el cuarto de estar; mientras La madre termina sus paseos, la joven pareja de investigadores reaparece. Encarna, impaciente, consulta su reloj y bebe otro sorbo.)

ÉL. El fantasma de la persona a quien esperaba esta mujer tardará un minuto.
ELLA. Lo aprovecharemos para comentar lo que habéis visto.
ÉL. ¿Habéis visto [solamente] realidades, o también pensamientos?
ELLA. Sabéis todos que los detectores lograron hace tiempo captar pensamientos que, al visualizarse intensamente, pudieron ser recogidos como imágenes. La presente experiencia parece ser uno de esos casos; pero algunas de las escenas que habéis visto pudieron suceder realmente, aunque Encarna y Vicente las imaginasen al mismo tiempo en su oficina. [Recordad que algunas de ellas continúan desarrollándose cuando los que parecían imaginarlas dejaron de pensar en ellas.
ÉL. ¿Dejaron de pensar en ellas? Lo ignoramos. Nunca podremos establecer, ni ellos podrían, hasta dónde alcanzó su más honda actividad mental.]
[ELLA.] ¿Las pensaron con tanta energía que nos parecen reales sin serlo?
ÉL. ¿Las percibieron cuando se desarrollaban, creyendo imaginarlas?
ELLA. ¿Dónde está la barrera entre las cosas y la mente?
ÉL. Estáis presenciando una experiencia de realidad total: sucesos y pensamientos en mezcla inseparable.

---

⁹ *barbillea:* acaricia en la barbilla.

ELLA. Sucesos y pensamientos extinguidos hace siglos.
ÉL. No del todo, puesto que los hemos descubierto. *(Por Encarna.)* Mirad a ese fantasma. ¡Cuán vivo nos parece!
ELLA. *(Con el dedo en los labios.)* ¡Chist! Ya se proyecta la otra imagen. *(Mario aparece tras ellos por la derecha y avanza unos pasos mirando a Encarna.)* ¿No parece realmente viva?[8]

(La pareja sale. La luz del primer término crece. Encarna levanta la vista y sonríe a Mario. Mario llega a su lado y se dan la mano. Sin desenlazarlas, se sienta él al lado de ella.)

ENCARNA. *(Con dulzura.)* Has tardado...
MARIO. Mi hermano estuvo en casa.
ENCARNA. Lo sé.

(Ella retira suavemente su mano. Él sonríe, turbado.)

MARIO. Perdona.
ENCARNA. ¿Por qué hemos tardado tanto en conocernos? Las pocas veces que ibas por la Editora no mirabas a nadie y te marchabas en seguida... Apenas sabemos nada el uno del otro.
MARIO. *(Venciendo la resistencia de ella, vuelve a tomarle la mano.)* Pero hemos quedado en contárnoslo.
ENCARNA. Nunca se cuenta todo.

(El Camarero reaparece. Ella retira vivamente su mano.)

---

(8) Es curioso notar que los experimentadores, que son los personajes «reales», acomoden su intervención al transcurso del tiempo «ficticio» de la historia, aprovechando el minuto que tarda Mario en llegar al café. Sus comentarios revelan otra de las condiciones del experimento: que presenta «sucesos y pensamientos en mezcla inseparable». La función «distanciadora» —que no es la única— de estos personajes se pone de manifiesto cuando nos recuerdan que Encarna o Mario no son más que un «fantasma» o una «imagen» proyectada.

MARIO. Cerveza, por favor. *(El Camarero asiente y se retira. Mario sonríe, pero le tiembla la voz.)* Habrá pensado que somos novios.

ENCARNA. Pero no lo somos.

MARIO. *(La mira con curiosidad.)* Sólo confidentes..., por ahora. Cuéntame.

ENCARNA. Si no hay otro remedio...

MARIO. *(La sonríe.)* No hay otro remedio.

ENCARNA. Yo... soy de pueblo. Me quedé sin madre de muy niña. [Teníamos una tierruca muy pequeña;] mi padre se alquilaba de bracero cuando podía. Pero ya no había trabajo para nadie, [y cogimos cuatro cuartos por la tierra] y nos vinimos hace seis años.

MARIO. Como tantos otros...

ENCARNA. Mi padre siempre decía: tú saldrás adelante. Se colocó de albañil y ni dormía por aceptar chapuzas. Y me compró una máquina, y un método, y libros... Y cuando me veía encendiendo la lumbre, o barriendo, o acarreando agua —porque vivíamos en las chabolas—, me decía: «Yo lo haré. Tú, estudia.» Y quería que me vistiese lo mejor posible, y que leyese mucho, y que...

(Se le quiebra la voz.)

MARIO. Y lo consiguió.

ENCARNA. Pero se mató. Iba a las obras cansado, medio dormido, y se cayó hace tres años del andamio. *(Calla un momento.)* Y yo me quedé sola. ¡Y tan asustada! Un año entero buscando trabajo, [haciendo copias,] de pensión en pensión... *(A media voz.)* Hasta que entré en la Editora.

(Lo mira a hurtadillas.)

MARIO. No sólo has sabido defenderte. Has sabido luchar limpiamente, y formarte... Puedes estar orgullosa.

ENCARNA. *(De pronto, seca.)* No quisiera seguir hablando de esto.

(Él la mira, intrigado. El Camarero vuelve con una caña de cer-
veza, la deposita ante Mario y va a retirarse.)

MARIO. Cobre todo.

(Le tiende un billete. El Camarero le da las vueltas y se retira.
Mario bebe un sorbo.)

ENCARNA. Y tú, ¿por qué no has estudiado? [Los dos hermanos
sois muy cultos, pero tú... podrías haber hecho tantas cosas...]
MARIO. *(Con ironía.)* [¿Cultos? Mi hermano aún pudo aprobar
parte del bachillerato; yo, ni empezarlo.] La guerra civil terminó cuando yo tenía diez años. Mi padre estaba empleado
en un Ministerio y lo depuraron... Cuando volvimos a Madrid hubo que meterse en el primer rincón que encontramos:
en ese sótano... de donde ya no hemos salido. Y años después,
cuando pudo pedir el reingreso, mi padre ya no quiso hacerlo. Yo seguí leyendo y leyendo, pero... hubo que sacar adelante la casa.
ENCARNA. ¿Y tu hermano?
MARIO. *(Frío.)* Estuvo con nosotros hasta que lo llamaron a fi-
las. Luego, decidió vivir por su cuenta.
[ENCARNA.. Ahora os ayuda...
MARIO. Sí.

(Bebe.)]

ENCARNA. Podrías haber prosperado como él... Quizá entrando
en la Editora...
MARIO. *(Seco.)* No quiero entrar en la Editora. [9]

---

(9) Nótese que tanto El padre como Mario han elegido la marginación. El primero no quiso reincorporarse a la *nueva sociedad* cuando
pudo hacerlo. Mario rechazará, más adelante, el puesto en la Editora
que le ofrece su hermano e insiste en la Parte Segunda: «Tú y yo hemos
podido elegir, afortunadamente. Yo elijo la pobreza.» Precisamente por-

ENCARNA. Pero... hay que vivir...

MARIO. Ésa es nuestra miseria: que hay que vivir.

ENCARNA. *(Asiente, después de un momento.)* Hoy mismo, por ejemplo...

MARIO. ¿Qué?

ENCARNA. No estoy segura... Ya sabes que ahora entra un grupo nuevo.

MARIO. Sí.

ENCARNA. Yo creo que a Beltrán no le editan la segunda novela [que entregó.] ¡Y es buenísima! [¡La acabo de leer!] ¡Y a tu hermano también le gustaba!

MARIO. *(Con vivo interés.)* ¿Qué ha pasado?

ENCARNA. Tu hermano hablaba con Juan por teléfono y me hizo salir. Después dijo que, en esa novela, Beltrán se había equivocado. Y de las pruebas que te ha llevado hoy, quitó un artículo que hablaba bien de él.

MARIO. El nuevo grupo está detrás de eso. Lo tienen sentenciado.

ENCARNA. Alguna vez lo han elogiado.

MARIO. Para probar su coartada... Y mi hermano, metido en esas bajezas. *(Reflexiona.)* Escucha, Encarna. Vas a vigilar y a decirme todo lo que averigües de esa maniobra. ¡Tenemos que ayudar a Beltrán!

ENCARNA. Tú eres como él.

MARIO. *(Incrédulo.)* ¿Cómo Beltrán?

ENCARNA. Esa manera suya de no pedir nada, allí, donde he visto suplicar a todo el mundo...

MARIO. Él ha salido adelante sin mancharse. Alguna vez sucede... *(Sonríe.)* Pero yo no tengo su talento. *(Grave.)* Ni quizá su bondad. Escucha lo que he soñado esta noche. Había un precipicio... Yo estaba en uno de los lados, sentado ante mis pruebas... Por la otra ladera corría un desconocido, con una cuerda atada a la cintura. Y la cuerda pasaba sobre el abismo,

---

que su marginación es voluntaria pueden asumir después el papel de jueces.

y llegaba hasta mi muñeca. Sin dejar de trabajar, yo daba ti-
roncitos... y lo iba acercando al borde. Cuando corría ya junto al borde mismo, di un tirón repentino y lo despeñé. [10]

(Un silencio.)

ENCARNA. Tú eres el mejor hombre que he conocido. Por eso
me lo has contado.

MARIO. Te lo he contado porque quiero preguntarte algo. *(Se
miran, turbados. Él se decide.)* ¿Quieres ser mi mujer? *(Ella
desvía la vista.)* ¿Lo esperabas? *(Ella asiente. Él sonríe.)* Nunca ganaré gran cosa. Si me caso contigo, haré un matrimonio
ventajoso.

ENCARNA. *(Triste.)* No bromees.

MARIO. *(Grave.)* Encarna, soy un hombre quebrado. [Hundido,
desde el final de nuestra guerra, en aquel pozo de mi casa.]
Pero si tu tristeza y la mía se unen, tal vez logremos una extraña felicidad.

ENCARNA. *(A punto de llorar.)* ¿De qué tristeza hablas?

MARIO. No finjas.

ENCARNA. ¿Qué sabes tú?...

MARIO. Nada. Pero lo sé. *(Ella lo mira, turbada.)* ¿Quieres venir ahora a casa de mis padre? *(Ella lo mira con alegría y angustia.)* Antes de que decidas, debes conocerlos.

ENCARNA. Los conozco ya. Soy yo quien reúne para tu padre
revistas y postales... Cuanta más gente ve en ellas, más con-
tento se pone, ¿verdad?

(Sonríe.)

MARIO. *(Asiente, pensativo.)* Y a menudo pregunta: ¿Quién es
éste?... ¿O éste?...

---

(10) Sueño premonitorio que revela el sentido profundo de lo que
efectivamente ocurrirá.

ENCARNA. Tu hermano apartó hoy una postal porque en ella
no se veía gente. Así voy aprendiendo cosas de tus padres.

MARIO. ¡También le gustan sin gente! ¿Era algún monumento?

ENCARNA. No. Un tren antiguo. *(Mario se yergue, mirándola fi-*
jamente. Ella, sin mirarlo, continúa después de un momen-
to.) Mario, iremos a tu casa si quieres. ¡Pero no como novios!

MARIO. *(Frío, distante.)* Déjame pensar. *(Ella lo mira, descon-*
certada. La Esquinera entra por la derecha y se detiene un mo-
mento, atisbando por todos lados la posible llegada de un
cliente. Encarna se inmuta al verla. Mario se levanta.) ¿Vamos?

ENCARNA. No como novios, Mario.

MARIO. ¿Por qué no?

ENCARNA. Puedes arrepentirte... O puede que me arrepienta yo.]

MARIO. *(Frío.)* Te presentaré como amiga. *(Encarna llega a su*
lado. La prostituta sonríe con cansada ironía y cruza despa-
cio. Encarna se coge del brazo de Mario al verla acercarse. Ma-
rio va a caminar, pero ella no se mueve.) ¿Qué te pasa?

(La prostituta se aleja y sale, contoneándose, por la izquierda.)

ENCARNA. Tú no quieres jugar conmigo, ¿verdad?

MARIO. *(Molesto.)* ¿A qué viene eso?

ENCARNA. *(Baja la cabeza.)* Vamos.

(Salen por la derecha. El Camarero entró poco antes a recoger
los servicios y pasa un paño por el velador mientras la luz se ex-
tingue. Los investigadores reaparecen por ambos laterales. Sen-
dos focos los iluminan. El Camarero sale y ellos hablan.)

ELLA. La escena que vais a presenciar sucedió siete días
despues. [11]

---

(11) Primer salto o elipsis en el tiempo de la historia. Las escenas anteriores han transcurrido en un tiempo continuo. Debe distinguirse el
tiempo de la historia recuperada del tiempo del experimento, cuyo desarrollo (continuo) coincide con el de la representación.

ÉL. Imposible reconstruir lo sucedido en ellos. Los detectores soportaron campos radiantes muy intensos y sólo se recogían apariciones fragmentarias.

ELLA. Los investigadores conocemos bien ese relampagueo de imágenes que, [si a veces proporciona inesperados hallazgos,] a muchos de nosotros les llevó a abandonar su labor, desalentados por tanta inmensidad...

ÉL. Los aparatos espacializan las más extrañas visiones: luchas de pájaros, manos que saludan, [un gran reptil,] el incendio de una ciudad, hormigas sobre un cadáver, llanuras heladas...

ELLA. Yo vi antropoides en marcha, y niños ateridos tras una alambrada...

ÉL. Y vimos otras imágenes incomprensibles, de algún astro muy lejano o de civilizaciones ya olvidadas. presencias innumerables cuya podre[10] forma hoy nuestros cuerpos y que hemos de devolver a la nada para no perder la historia que se busca y que acaso no sea tan valiosa.

ELLA. La acción más oculta o insignificante puede ser descubierta un día. [Hoy descubrimos antiquísimos saberes visualizando a quienes leían, tal vez con desgana, los libros destruidos.] El misterioso espacio todo lo preserva.

ÉL. Cada suceso puede ser percibido desde algún lugar.

ELLA. Y a veces, sin aparatos, desde alguna mente lúcida.

ÉL. El experimento continúa.

(Las oscilaciones luminosas comienzan a vibrar sobre la oficina. Él y Ella salen por los laterales. La luz se estabiliza. La máquina de escribir está descubierta y tiene papeles en el carro. Encarna, a la máquina. La puerta se abre y entra Mario. Encarna se vuelve, ahogando un suspiro.)

MARIO. He venido a dejar pruebas y, antes de irme, se me ocurrió visitar... a mi hermano.

ENCARNA. *(Temblorosa.)* Lleva tres horas con los nuevos consejeros.

---

[10] *podre:* putrefacción, podredumbre.

MARIO. Y su secretaria, ¿está visible?

ENCARNA. *(Seria.)* Ya ves que sí.

[MARIO. *(Cierra y avanza.)* ¿Te molesto?

ENCARNA. Tengo trabajo.]

MARIO. ¿Estás nerviosa?

ENCARNA. [Los consejeros nuevos traen sus candidatos...] No sé
si continuaré en la casa.

MARIO. ¡Bah! Puedes estar tranquila.

ENCARNA. Pues no lo estoy. Y te agradecería que... no te que-
dases mucho tiempo.

MARIO. *(Frunce las cejas, toma una silla y se sienta junto a Encarna, mirándola fijamente. Ella no lo mira.)* Tres días sin
verte.

ENCARNA. Con la reorganización hemos tenido mucho trabajo.

MARIO. Siempre se encuentra un momento. *(Breve pausa.)* Si se
quiere.

ENCARNA. Yo... tenía que pensar.

MARIO. *(Le toma una mano.)* Encarna...

ENCARNA. ¡Por favor, Mario!

MARIO. ¡Tú sabes ya que me quieres!

ENCARNA. ¡No! ¡No lo sé!

MARIO. ¡Lo sabes!

ENCARNA. *(Se levanta, trémula.)* ¡No!

MARIO. *(Se levanta casi al tiempo y la abraza.)* ¿Por qué mientes?

ENCARNA. ¡Suelta!

*(Él la besa vorazmente. Ella logra desasirse, denegando obsesi-
vamente, mientras mira a la puerta. Mario llega a su lado y la
toma de los brazos.)*

MARIO. *(Suave.)* ¿Qué te sucede?

ENCARNA. Tenemos que hablar.

(Va a la mesa de despacho, donde se apoya, trémula.)

MARIO. Quizá no te gustaron mis padres.

ENCARNA. [No es eso...] Te aseguro que los quiero ya.

MARIO. Y ellos a ti.

ENCARNA. *(Se aparta, buscando de qué hablar.)* Tu padre me llamó Elvirita una vez... ¿Por qué?

MARIO. Era una hermanita que se nos murió. Tenía dos años cuando terminó la guerra.

ENCARNA. ¿Me confundió con ella?

MARIO. Si ella viviese, tendría tu edad, más o menos.

ENCARNA. ¿De qué murió?

MARIO. Tardamos seis días en volver a Madrid. Era muy difícil tomar los trenes, que iban repletos de soldados ansiosos de llegar a sus pueblos... Y era aún más difícil encontrar comida. Leche, sobre todo. Viajamos en camiones, en tartanas, qué sé yo... La nena apenas tomaba nada... Ni nosotros... Murió al cuarto día. De hambre. *(Un silencio.)* [La enterramos en un pueblecito. Mi padre fue al Ayuntamiento y logró en seguida el certificado de defunción y el permiso. Años después le he oído comentar que fue fácil: que entonces era fácil enterrar.

(Un silencio.)]

ENCARNA. *(Le oprime con ternura un hombro.)* Hay que olvidar, Mario.

MARIO. *(Cierra los ojos.)* Ayúdame tú, Encarna... ¿Te espero luego en el café?

ENCARNA. *(Casi llorosa.)* Sí, porque tengo que hablarte.

MARIO. *(Su tono y su expresión cambian. La mira, curioso.)* ¿De mi hermano?

ENCARNA. Y de otras cosas.

MARIO. ¿Averiguaste algo? *(Ella lo mira, turbada.)* ¿Sí?

ENCARNA. *(Corre a la puerta del fondo, la abre y espía un momento. Tranquilizada, cierra y toma su bolso.)* Mira lo que he encontrado en el cesto. *(Saca los trozos de papel de una carta rota y los compone sobre la mesa. Mario se inclina para leer.)* ¿Entiendes el francés?

MARIO. Un poco.

ENCARNA. ¿Verdad que hablan de Beltrán?

MARIO. Piden los derechos de traducción de «Historia secreta», el tercer libro que él publicó. Y como la Editora ya no existe, se dirigen a vosotros por si los tuvierais..., con el ruego, en caso contrario, de trasladar la petición al interesado. *(Un silencio. Se miran.)* [Y es al cesto de los papeles a donde ha llegado.

ENCARNA. Si tu hermano la hubiese contestado, la habría archivado, no roto.]

(Recoge aprisa los trozos de papel.)

MARIO. No tires esos pedazos, Encarna.
ENCARNA. No.

(Los vuelve a meter en el bolso.)

MARIO. Esperaré a Vicente y le hablaremos de esto.
ENCARNA. ¡No!
MARIO. ¡No podemos callar! ¡Se trata de Beltrán!
[ENCARNA. Podríamos avisarle...
MARIO. Lo haremos si es necesario, pero a Vicente le daremos su oportunidad.]
ENCARNA. *(Se sienta, desalentada, en su silla.)* La carta la he encontrado yo. Déjame intentarlo a mí sola.
MARIO. ¡Conmigo al lado te será más fácil!
ENCARNA. ¡Por favor!
MARIO. *(La mira con insistencia unos instantes.)* No te pregunto si te atreverás, porque tú sabes que debes hacerlo...
ENCARNA. Dame unos días...
MARIO. ¡No, Encarna! Si tú no me prometes hacerlo ahora, me quedo yo para decírselo a Vicente.
ENCARNA. *(Rápida.)* ¡Te lo prometo! *(Baja la cabeza. Él le acaricia el cabello con súbita ternura.)* Me echará.
MARIO. No tienes que reprocharle nada. Atribúyelo a un descuido suyo.
ENCARNA. ¿Puedo hacer eso?
MARIO. *(Duro.)* Cuando haya que hablarle claro, lo haré yo. Ánimo, Encarna. En el café te espero.
ENCARNA. *(Lo mira, sombría.)* Sí. Allí hablaremos.

(La puerta se abre y entra Vicente con una carpeta en la mano. Viene muy satisfecho. Encarna se levanta.)

VICENTE. ¿Tú por aquí?

MARIO. Pasé un momento a saludarte. Ya me iba.

VICENTE. ¡No te vayas todavía! *(Mientras deja la carpeta sobre la mesa y se sienta.)* Vamos a ver, Mario. Te voy a hacer una proposición muy scria.

ENCARNA. ¿Me... retiro?

VICENTE. ¡No hace falta! *(A Mario.)* Encarnita debe saberlo. ¡Escúchame bien! Si tú quieres, ahora mismo quedas nombrado mi secretario. [Para trabajar aquí conmigo. Y con ella.] *(Encarna y Mario se miran.)* Para ti también hay buenas noticias, Encarna: quinientas pesetas más al mes. Seguirás con tu máquina y tu archivo. Pero necesito otro ayudante con buena formación literaria. Tú lo comprendes...

ENCARNA. Claro.

(Se sienta en su silla.)

VICENTE. Tú, Mario. Es un puesto de gran porvenir. Para empezar, calcula algo así como el triple de lo que ahora ganas. ¿Hace?

MARIO. Verás, Vicente...

VICENTE. Un momento... *(Con afecto.)* Lo puedo hacer hoy; más adelante ya no podría. Figúrate la alegría que le íbamos a dar a nuestra madre... Ahora puedo decirte que me lo pidió varias veces.

MARIO. Lo suponía.

VICENTE. También a mí me darías una gran alegría, te lo aseguro...

MARIO. *(Suave.)* No, Vicente. Gracias.

VICENTE. *(Reprime un movimiento de irritación.)* ¿Por qué no?

MARIO. Yo no valgo para esto...

VICENTE. *(Se levanta.)* ¡Yo sé mejor que tú lo que vales! ¡Y ésta es una oportunidad única! [¡No puedes,] no.tienes el derecho de rehusarla! ¡Por tu mujer, por tus hijos, cuando los tengas!

(Encarna y Mario se miran.) ¡Encarna, tú eres mujer y lo entiendes! ¡Dile tú algo!

ENCARNA. *(Muy turbada.)* Sí... Realmente...

[VICENTE. *(A Mario.)* ¡Me parece que no puedo hacer por ti más
de lo que hago!]

MARIO. Te lo agradezco de corazón, créeme... Pero no.

VICENTE. *(Rojo.)* Esto empieza a ser humillante... Cualquier
otro lo aceptaría encantado... y agradecido.

MARIO. Lo sé, Vicente, lo sé... Discúlpame.

VICENTE. ¿Qué quiere decir ese «discúlpame»? ¿Que sí o que no?

MARIO. *(Terminante.)* Que no.

(Encarna suspira, decepcionada.)

VICENTE. *(Después de un momento, muy seco.)* Como quieras.

(Se sienta.)

MARIO. Adiós, Vicente. Y gracias.

(Sale y cierra. Una pausa.)

VICENTE. Hace años que me he resignado a no entenderle. Sólo
puedo decir: es un orgulloso y un imbécil. *(Suspira.)* Nos me-
terán aquí a otro; [aún no sé quién será.] Pero tú no te preocupes: sigues conmigo, y con aumento de sueldo.

ENCARNA. Yo también te doy las gracias.

VICENTE. *(Con un movimiento de contrariedad.)* No sabe él lo
generosa que era mi oferta. Porque le he mentido: no me agra-
daría tenerle aquí. Con sus rarezas resultaría bastante incómodo... [Y se enteraría de lo nuestro, y puede que también le
pareciera censurable, porque es un estúpido que no sabe nada
de la vida.] ¡Ea! No quiero pensarlo más. ¿Algo que firmar?

ENCARNA. No.

VICENTE. ¿Ningún asunto pendiente? *(Un silencio.)* ¿Eh?

ENCARNA. *(Con dificultad.)* No.

(Y rompe a llorar.)

VICENTE. ¿Qué te pasa?
ENCARNA. Nada.
VICENTE. Nervios... Tu continuidad garantizada...

(Se levanta y va a su lado.)

ENCARNA. Eso será.
VICENTE. *(Ríe.)* ¡Pues no hay que llorarlo, sino celebrarlo! *(Íntimo.)* ¿Tienes algo que hacer?
ENCARNA. Es jueves...
VICENTE. *(Contrariado.)* Tu amiga.
ENCARNA. Sí.
VICENTE. Pensé que hoy me dedicarías la tarde.
ENCARNA. Ahora ya no puedo avisarla.
VICENTE. Vamos a donde sea, te disculpas y te espero en el coche.
ENCARNA. No estaría bien... Mañana, si quieres...

(Un silencio.)

VICENTE. *(Molesto.)* A tu gusto. Puedes marcharte.

(Encarna se levanta, recoge su bolso y se vuelve, indecisa, desde la puerta.)

ENCARNA. Hasta mañana...
VICENTE. Hasta mañana.
ENCARNA. Y gracias otra vez...
VICENTE. *(Irónico.)* ¡De nada! De nada.

(Encarna sale. Vicente se pasa la mano por los ojos, cansado. Repasa unos papeles, enciende un cigarrillo y se recuesta en el sillón. Fuma, abstraído. Comienza a oírse, muy lejano, el ruido del tren, al tiempo que la luz crece y se precisa en el cuarto de estar. La puerta de la casa se abre y entran Los padres.)

LA MADRE. ¿Adónde vas, hombre?
EL PADRE. Está aquí.

(Entra en el cuarto de estar y mira a todos lados.)

LA MADRE. ¿A quién buscas?
EL PADRE. Al recién nacido.
LA MADRE. Recorta tus postales, anda.
EL PADRE. ¡Tengo que buscar a mi hijo!

(La puerta de la casa se abre y entra Mario, que avanza.)

LA MADRE. Siéntate...
EL PADRE. ¡Me quejaré a la autoridad! ¡Diré que no queréis disponer el bautizo!
MARIO. ¿El bautizo de quién, padre?
EL PADRE. ¡De mi hijo Vicente! *(Se vuelve súbitamente, escuchando. Mario se recuesta en la pared y lo observa. El ruido del tren se ha extinguido.)* ¡Calla! Ahora llora.
LA MADRE. ¡Nadie llora!
EL PADRE. Estará en la cocina.

(Va hacia el pasillo.)

MARIO. Estará en el tren, padre.
LA MADRE. *(Molesta.)* ¿Tú también?
EL PADRE. *(Se vuelve.)* ¡Claro! *(Va hacia el invisible tragaluz.)* Vámonos al tren, antes de que el niño crezca. ¿Por dónde se sube?
LA MADRE. *(Se encoge de hombros y sigue el juego.)* ¡Si ya hemos montado, tonto!
EL PADRE. *(Desconcertado.)* No.
LA MADRE. ¡Sí, hombre! ¿No oyes la locomotora? Piii... Piii... *(Comienza a arrastrar los pies, como un niño que juega.)* Chaca-chaca, chaca-chaca, chaca-chaca... *(Riendo, El padre se coloca tras ella y la imita. Salen los dos al pasillo murmurando, entre risas, su «chaca-chaca» y se meten en el dormitorio, cuya*

puerta se cierra. Una pausa. Mario se acerca al tragaluz y mira hacia fuera, pensativo. Vicente reacciona en su oficina, apaga el cigarrillo y se levanta con un largo suspiro. Mira su reloj, y, con rápido paso, sale, cerrando. La luz vibra y se extingue en la oficina. La madre abre con sigilo la puerta del dormitorio, sale al pasillo, la cierra y vuelve al cuarto de estar sofocando la risa.) Este hombre me mata. *(Dispone unos tazones en una bandeja, sobre la cómoda.)* Al pasar ante el armario se ha puesto a mirarse en la luna, [muy serio.] Yo le digo: ¿Qué haces? Y me dice, muy bajito: Aquí que me he encontrado con este hombre. Pues háblale. [¿Por qué no le hablas?] Y me contesta: ¡Bah! Él tampoco me dice nada. *(Muerta de risa.)* ¡Ay, qué viejo pellejo!... ¿Quieres algo para mojar?

MARIO. *(Sin volverse.)* No, gracias. *(La madre alza la bandeja y va a irse.)* ¿De qué tren habla?

LA MADRE. *(Se detiene.)* De alguno de las revistas...

(Inicia la marcha.)

MARIO. O de alguno real.

LA MADRE. *(Lo mira, curiosa.)* Puede ser. Hemos tomado tantos en esta vida...

MARIO. *(Se vuelve hacia ella.)* Y también hemos perdido alguno.

LA MADRE. También, claro.

MARIO. No tan claro. No se pierde el tren todos los días. Nosotros lo perdimos sólo una vez.

LA MADRE. *(Inmóvil, con la bandeja en las manos.)* Creí que no te acordabas.

MARIO. ¿No se estará refiriendo a aquél?

LA MADRE. Él no se acuerda de nada...

MARIO. Tú sí te acuerdas.

LA MADRE. Claro, hijo. No por el tren, sino por aquellos días tremendos... *(Deja la bandeja sobre la mesa.)* El tren es lo de menos. Bueno: se nos llevó a Vicentito, porque él logró meterse por una ventanilla y luego ya no pudo bajar. No tuvo importancia, porque yo le grité [que nos esperase en casa de mi prima cuando llegase a Madrid. ¿Te acuerdas?

MARIO. No muy bien.

LA MADRE. Al ver que no podía bajar, le dije:] Vete a casa de
la tía Asunción... Ya llegaremos nosotros... Y allí nos esperó,
el pobre, sin saber que, entre tanto..., se había quedado sin
hermanita.

MARIO. [El otro día,] cuando traje a aquella amiga mía, mi padre la llamó Elvirita.

LA MADRE. ¿Qué me dices?

MARIO. No lo oíste porque estabas en la cocina.

LA MADRE. *(Lo piensa.)* Palabras que le vienen de pronto...
Pero no se acuerda de nada.

MARIO. ¿Te acuerdas tú mucho de Elvirita, madre?

LA MADRE. *(Baja la voz.)* Todos los días.

MARIO. Los niños no deberían morir.

LA MADRE. *(Suspira.)* Pero mueren.

MARIO. De dos maneras.

LA MADRE. ¿De dos maneras?

MARIO. La otra es cuando crecen. Todos estamos muertos.

*(La madre lo mira, triste, y recoge su bandeja. El padre salió de
su habitación y vuelve al cuarto de estar.)*

EL PADRE. Buenas tardes, señora. ¿Quién es usted?

LA MADRE. *(Grave.)* Tu mujer.

EL PADRE. *(Muy serio.)* Qué risa, tía Felisa.

LA MADRE. ¡Calla, viejo pellejo! *(El padre revuelve postales y
revistas sobre la mesa. Elige una postal, se sienta y se pone a
recortarla. La madre vuelve a dejar la bandeja y se acerca a
Mario.)* Esa amiga tuya parece buena chica. ¿Es tu novia?

MARIO. No...

LA MADRE. Pero te gusta.

MARIO. Sí.

LA MADRE. [No es ninguna señorita relamida, ¡qué va! Y nosotros le hemos caído bien...] Yo que tú, me casaba con ella.

MARIO. ¿Y si no quiere?

LA MADRE. ¡Huy, hijo! A veces pareces tonto.

[MARIO. ¿Crees que podría ella vivir aquí, estando padre como
está?

LA MADRE. Si ella quiere, ¿por qué no? ¿La vas a ver hoy?
MARIO. Es posible.
LA MADRE. ¡Díselo!]
MARIO. *(Sonríe.)* Suponte que ya se lo he dicho y que no se decide.
LA MADRE. Será que quiere hacerse valer.
MARIO. ¿Tú crees?
LA MADRE. *(Dulce.)* Seguro, hijo.
EL PADRE. *(A Mario, por alguien de una postal.)* ¿Quién es éste?...
MARIO. *(Se abraza de pronto a su madre.)* Me gustaría que ella viniese con nosotros.
LA MADRE. Vendrá... y traerá alegría a la casa, y niños...
MARIO. No hables a mi hermano de ella. Todavía no.
LA MADRE. Se alegraría...
MARIO. Ya lo entenderás. Es una sorpresa.
LA MADRE. Como quieras, hijo. *(Baja la voz.)* Y tú no le hables a tu padre de ningún tren. No hay que complicar las cosas... ¡y hay que vivir![12] *(Se miran fijamente. Suena el timbre de la casa.)* ¿Quién será?
MARIO. Yo iré.
LA MADRE. ¿La has citado aquí?
MARIO. No...
LA MADRE. Como ya es visita de la casa...
MARIO. *(Alegre.)* Es cierto. ¡Si fuera ella...!

(Va a salir, al pasillo.)

EL PADRE. ¿Quién es éste?...

(Mario lo mira un instante y sale a abrir.)

(12) Repetición significativa. Encarna ha dicho las mismas palabras a Mario en el cafetín. Se diría que los tres hombres empujan la maquinaria trágica hacia su fatal desenlace, mientras que las mujeres parecen intentar, inútilmente, detenerla.

LA MADRE.   *(Al tiempo, a su marido.)* ¡El hombre del saco!
¡Uuuh! *(Y se acerca al pasillo para atisbar. Mario abre. Es Vicente.)* ¡Vicente, hijo! *(Mario cierra en silencio. Vicente avanza. Su madre lo abraza.)* ¿Te sucede algo?
VICENTE.   *(Sonríe.)* Te prometí venir más a menudo.
LA MADRE.   ¡Pues hoy no te suelto en toda la tarde!
VICENTE.   No puedo quedarme mucho rato.
LA MADRE.   ¡Ni te escucho! *(Han llegado al cuarto de estar. La
madre corre a la cómoda y saca un bolsillito de un cajón.)* ¡Y
hazme el favor de esperar aquí tranquilito hasta que yo vuelva! *(Corre por el pasillo.)* ¡No tardo nada!

   (Abre la puerta del piso y sale presurosa, cerrando.)

MARIO.   *(Que avanzó a su vez y se ha recostado en la entrada del
pasillo.)* ¿A que trae ensaimadas?
VICENTE.   *(Ríe.)* ¿A que sí? Hola, padre. ¿Cómo sigue usted?

   (El padre lo mira y vuelve a sus postales.)

MARIO.   Igual, ya lo ves. Supongo que has venido a hablarme...
VICENTE.   Sí.
MARIO.   Tú dirás.

   (Cruza y se sienta tras su mesita.)

VICENTE.   *(Con afecto.)* ¿Por qué no quieres trabajar en la
Editora?
MARIO.   *(Lo mira, sorprendido.)* ¿De eso querías hablarme?
[VICENTE. Sería una lástima perder esta oportunidad: quizá no
tengas otra igual en años.
MARIO.   ¿Estás seguro de que no quieres hablarme de ninguna
otra cosa?]
VICENTE.   ¡Claro! ¿De qué, si no? *(Contrariado, Mario se golpea
con el puño la palma de la mano, se levanta y pasea.* [13] *Vi-*

---

(13) Cuando comienza la conversación, Mario cree que Encarna ha hablado con Vicente sobre Beltrán y que es de este asunto del que su hermano quiere hablarle. De ahí su sorpresa y —lo que es más importante— la actitud agresiva y el tono acusatorio que mantendrá en la escena

cente se acerca.) Para la Editora ya trabajas, Mario. ¿Qué diferencia hay?

MARIO. *(Duro.)* Siéntate.

VICENTE. Con mucho gusto, si es que por fin vas a decir algo sensato.

(Se sienta.)

MARIO. Quizá no. *(Sonríe.)* Yo vivo aquí, con nuestro padre... Una atmósfera no muy sensata, ya lo sabes. *(Indica al padre.)* Míralo. Este pobre demente era un hombre recto, ¿te acuerdas? Y nos inculcó la religión de la rectitud. Una enseñanza peligrosa, porque [luego, cuando te enfrentas con el mundo, comprendes que es tu peor enemiga.] *(Acusador.)* No se vive de la rectitud en nuestro tiempo. ¡Se vive del engaño, de la zancadilla, de la componenda...![11] Se vive pisoteando a los demás. ¿Qué hacer, entonces? O aceptas ese juego siniestro... y sales de este pozo..., o te quedas en el pozo.

VICENTE. *(Frío.)* ¿Por qué no salir?

MARIO. Te lo estoy explicando... Me repugna nuestro mundo. [Todos piensan que] en él no cabe sino comerte a los demás o ser comido. Y encima, todos te dicen: ¡devora antes de que te devoren! Te daremos bellas teorías para tu tranquilidad. La lucha por la vida... El mal inevitable para llegar al bien necesario... La caridad bien entendida... Pero yo, en mi rincón, intento comprobar si puedo salvarme de ser devorado..., aunque no devore.

---

[11] *componenda:* arreglo o transacción censurable, inmoral.

que sigue. Su reacción sería un tanto extemporánea si no fuera porque en la mente de Mario está muy presente el innoble comportamiento de Vicente con respecto a Beltrán. Al final, ante el tragaluz, conseguirá que la sombra o el fantasma del escritor irrumpa en la conciencia de su hermano. En el diálogo que se inicia van a debatirse dos asuntos centrales desde el punto de vista temático: el significado de la *pregunta* y las dos actitudes ante la vida —la «activa» y la «contemplativa»— que representan Vicente y Mario en la obra.

VICENTE. No siempre te estás en tu rincón, supongo.

MARIO. No siempre. Salgo a desempeñar mil trabajillos fugaces...

VICENTE. Algo pisotearás también al hacerlos.

MARIO. Tan poca cosa... Me limito a defenderme. Y hasta me dejo pisotear un poco, por no discutir... Pero, por ejemplo, no me enriquezco.

VICENTE. Es toda una acusación. ¿Me equivoco?

EL PADRE. ¿Quién es éste?

(Mario va junto a su padre.)

MARIO. Usted nos dijo que lo sabía.

EL PADRE. Y lo sé.

(Se les queda mirando, socarrón.)

MARIO. *(A su hermano.)* Es curioso. La plaza de la Ópera, en París, el señor del hongo. Y la misma afirmación.

VICENTE. Tú mismo has dicho que era un pobre demente.

MARIO. Pero un hombre capaz de preguntar lo que él pregunta... tiene que ser mucho más que un viejo imbécil.

VICENTE. ¿Qué pregunta?

MARIO. ¿Quién es éste? ¿Y aquél? ¿No te parece una pregunta tremenda?

VICENTE. ¿Por qué?

MARIO. ¡Ah! Si no lo entiendes...

(Se encoge de hombros y pasea.)

EL PADRE. ¿Tú tienes hijos, señorito?

VICENTE. ¿Qué?

MARIO. Te habla a ti.

VICENTE. Sabe usted que no.

EL PADRE. *(Sonríe.)* Luego te daré una sorpresa, señorito.

(Y se pone a recortar algo de una revista.)

VICENTE. [No me has contestado.] *(Mario se detiene.)* ¿Te referías a mí cuando hablabas de pisotear y enriquecerse?

MARIO. Sólo he querido decir que tal vez yo no sería capaz de entrar en el juego sin hacerlo.

VICENTE. *(Se levanta.)* ¡Pero no se puede uno quedar en el pozo!

MARIO. ¡Alguien tenía que quedarse aquí!

VICENTE. *(Se le enfrenta, airado.)* ¡Si yo no me hubiera marchado, ahora no podría ayudaros!

MARIO. ¡Pero, en aquellos años, había que mantener a los padres..., y los mantuve yo! Aunque mal, lo reconozco.

VICENTE. ¡Los mantuviste: enhorabuena! ¡Ahora puedes venirte conmigo y los mantendremos entre los dos!

MARIO. *(Sincero.)* De verdad que no puedo.

VICENTE. *(Procura serenarse.)* Mario, toda acción es impura. Pero [no todas son tan egoístas como crees.] ¡No harás nada útil si no actúas! Y no conocerás a los hombres sin tratarlos, ni a ti mismo, si no te mezclas con ellos.

MARIO. Prefiero mirarlos.

VICENTE. ¡Pero es absurdo, es delirante! ¡Estás consumiendo tu vida aquí, mientras observas a un alienado o atisbas por el tragaluz piernas de gente insignificante!... ¡Estás soñando! ¡Despierta!

MARIO. ¿Quién debe despertar? ¡Veo a mi alrededor muchos activos, pero están dormidos! ¡Llegan a creerse tanto más irreprochables cuanto más se encanallan!

VICENTE. ¡No he venido a que me insultes!

MARIO. Pero vienes. Estás volviendo al pozo, cada vez con más frecuencia..., y eso es lo que prefiero de ti.

EL PADRE. *(Interrumpe su recortar y señala a una postal.)* ¿Quién es éste, señorito? ¿A que no lo sabes?

MARIO. La pregunta tremenda.

VICENTE. ¿Tremenda?

MARIO. Naturalmente. Porque no basta con responder «Fulano de Tal», ni con averiguar lo que hizo y lo que le pasó. Cuando supieras todo eso, tendrías que seguir preguntando... Es una pregunta insondable. [12]

---

[12] *insondable:* que no se puede sondear, es decir, averiguar o conocer a fondo.

VICENTE. Pero, ¿de qué hablas?
EL PADRE. *(Que los miraba, señala otra vez a la postal.)* Habla
de éste.

(Y recorta de nuevo.)

MARIO. ¿Nunca te lo has preguntado tú, ante una postal vieja?
¿Quién fue éste? Pasó en aquel momento por allí... ¿Quién
era? A los activos como tú no les importa. Pero yo me lo tro-
piezo ahí, en la postal, inmóvil...
VICENTE. O sea, muerto.
MARIO. Sólo inmóvil. Como una pintura muy viva; como la fo-
tografía de una célula muy viva. Lo retrataron; ni siquiera se
dio cuenta. Y yo pienso... Te vas a reír...
VICENTE. *(Seco.)* Puede ser.
MARIO. Pienso si no fue retratado para que yo, muchos años después, me preguntase quién era. *(Vicente lo mira con asom-
bro.)* Sí, sí; y también pienso a veces si se podría...

(Calla.)

VICENTE. ¿El qué?
MARIO. Emprender la investigación. [14]
VICENTE. No entiendo.
MARIO. Averiguar quién fue esa sombra, [por ejemplo.] Ir a Pa-
rís, publicar anuncios, seguir el hilo... ¿Encontraríamos su re-
cuerdo? ¿O acaso a él mismo, ya anciano, al final del hilo? Y
así, con todos.
VICENTE. *(Estupefacto.)* ¿Con todos?
MARIO. Tonterías. Figúrate. Es como querer saber el compor-
tamiento de un electrón en una galaxia lejanísima.
VICENTE. *(Riendo.)* ¡El punto de vista de Dios!

---

(14) Es precisamente lo que, siglos después, emprenden los investigadores, asumiendo la «tarea imposible» que ellos mismos definen en su
última intervención así: «rescatar de la noche, árbol por árbol y rama
por rama, el bosque infinito de nuestros hermanos».

(El padre los mira gravemente.)

MARIO. Que nunca tendremos, pero que anhelamos.

VICENTE. *(Se sienta, aburrido.)* Estás loco.

MARIO. Sé que es un punto de vista inalcanzable. Me conformo por eso con observar las cosas, *(Lo mira)* y a las personas, desde ángulos inesperados...

VICENTE. *(Despectivo, irritado.)* Y te las inventas, como hacíamos ante el tragaluz cuando éramos muchachos.

MARIO. ¿No nos darán esas invenciones algo muy verdadero que las mismas personas observadas ignoran?

VICENTE. ¿El qué?

MARIO. Es difícil explicarte... Y además, tú ya no juegas a eso... Los activos casi nunca sabéis mirar. Sólo veis los tópicos en que previamente creíais. Yo procuro evitar el tópico. Cuando me trato con ellos me pasa lo que a todos: [la experiencia es amarga.] Noto que son unos pobres diablos, que son hipócritas, que son enemigos, que son deleznables... Una tropa de culpables y de imbéciles. Así que observo... esas piernas que pasan. Y entonces creo entender que también son otras cosas... inesperadamente hermosas. O sorprendentes.

VICENTE. *(Burlón.)* ¿Por ejemplo?

MARIO. *(Titubea.)* No es fácil dar ejemplos. Un ademán, una palabra perdida... No sé. Y, muy de tarde en tarde, alguna verdadera revelación.

EL PADRE. *(Mirándose las manos.)* ¡Cuántos dedos!

VICENTE. *(A su hermano.)* ¿Qué ha dicho?

EL PADRE. *(Levanta una mano.)* Demasiados dedos. Yo creo que estos dos sobran.

(Aproxima las tijeras a su meñique izquierdo.)

VICENTE. *(Se levanta en el acto.)* ¡Cuidado! *(Mario, que se acercó a su padre, le indica a su hermano con un rápido ademán que se detenga.)* ¡Se va a hacer daño!

(Mario deniega y observa a su padre muy atento, pronto a intervenir. El padre intenta cortarse el meñique y afloja al sentir dolor.)

EL PADRE. *(Ríe.)* ¡Duele, caramba!

(Y vuelve a recortar en sus revistas. Mario sonríe.)

VICENTE. ¡Pudo cortarse!
MARIO. Lo habríamos impedido a tiempo. Ahora sabemos que
   sus reflejos de autodefensa le responden.
[VICENTE. Una imprudencia, de todos modos.
MARIO. Ha habido que coserle los bolsillos porque se cortaba
   los forros. Pero no conviene contrariarle. Si tú te precipitas,
   quizá se habría cortado.] *(Sonríe.)* Y es que hay que observar,
   hermano. Observar y no actuar tanto. ¿Abrimos el tragaluz?
VICENTE. *(Burlón.)* ¿Me quieres brindar una de esas grandes
   revelaciones?
MARIO. Sólo intento volver un poco a nuestro tiempo de
   muchachos.
VICENTE. *(Se encoge de hombros y se apoya en el borde de la
   camilla.)* Haz lo que gustes.

*(Mario se acerca a la pared invisible y mima el ademán de abrir
el tragaluz. Se oye el ruido de la falleba[13] y acaso la luz de la
habitación se amortigua un tanto. Sobre la pared del fondo se
proyecta la luminosa mancha ampliada del tragaluz, cruzada por
la sombra de los barrotes. El padre abandona las tijeras y mira,
muy interesado. No tarda en pasar la sombra de las piernas de
un viandante cualquiera.)*

EL PADRE. ¡Siéntense!
VICENTE. *(Ríe.)* ¡Como en el cine!

(Y ocupa una silla.)

MARIO. Como entonces.

―――――――――
   [13] *falleba:* varilla de hierro que sirve de cierre a las puertas o ventanas de dos
hojas.

(Se sienta. Los tres observan el tragaluz. Ahora son unas piernas femeninas las que pasan, rápidas. Poco después, las piernas de dos hombres cruzan despacio en dirección contraria. Tal vez se oye el confuso murmullo de su charla.)

VICENTE. *(Irónico.)* Todo vulgar, insignificante...

MARIO. [¿Te parece?] *(Una pareja cruza: piernas de hombre junto a piernas de mujer. Se oyen sus risas. Cruzan las piernas de otro hombre, que se detiene un momento y se vuelve, al tiempo que se oye decir a alguien: «¡No tengas tanta prisa!» Las piernas del que habló arrojan su sombra: venía presuroso y se reúne con el anterior. Siguen los dos su camino y sus sombras desaparecen.)* Eso digo yo: no tengas tanta prisa. *(Entre risas y gritos de «¡Maricón el último!», pasan corriendo las sombras de tres chiquillos.)* Chicos del barrio. Quizá van a comprar su primer pitillo en la esquina: por eso hablan ya como hombrecitos. Alguna vez se paran, golpean en los cristales y salen corriendo...

VICENTE. Los conocías ya.

MARIO. *(Sonríe y concede.)* Sí. *(Al tiempo que cruzan las piernas de un joven.)* ¿Y ése?

VICENTE. ¡No has podido ver nada!

MARIO. Llevaba en la mano un papelito, y tenía prisa. ¿Una receta? La farmacia está cerca. Hay un enfermo en casa. Tal vez su padre... *(Vicente deniega con energía, escéptico. [Cruza la sombra de una vieja que se detiene, jadeante, y continúa.)* ¿Te has fijado?

VICENTE. ¿En qué?

MARIO. Ésta llevaba un bote, con una cuchara. Las sobras de alguna casa donde friega. Es el fracaso... Tenía varices en las pantorrillas. Es vieja, pero tiene que fregar suelos...

VICENTE. *(Burlón.)* Poeta.

(Pasan dos sombras más.)

MARIO. No tanto.] *(Cruza lentamente la sombra de unas piernas femeninas y una maleta.)* ¿Y ésta?

VICENTE. ¡Si ya ha pasado!
MARIO. Y tú no has visto nada.
VICENTE. Una maleta.
MARIO. De cartón. Y la falda, verde manzana. Y el andar, inse-
  guro. Acaso otra chica de pueblo que viene a la ciudad... La
  pierna era vigorosa, de campesina.
VICENTE. *(Con desdén.)* ¡Estás inventando!
MARIO. *(Con repentina y desconcertante risa.)* ¡Claro, claro!
  Todo puede ser mentira.
VICENTE. ¿Entonces?
MARIO. Es un juego. Lo más auténtico de esas gentes se puede
  captar, pero no es tan explicable.
VICENTE. *(Con sorna.)* Un «no sé qué».
MARIO. Justo.
VICENTE. Si no es explicable, no es nada.
MARIO. No es lo mismo «nada» que «no sé qué».

(Cruzan dos o tres sombras más.)

VICENTE. ¡Todo esto es un disparate!
MARIO. *(Comenta, anodino y sin hacerle caso, otra sombra que
  cruza.)* Una madre joven, con el cochecito de su hijo. El niño
  podría morir hoy mismo, pero ella, ahora, no lo piensa...
  (Ante el gesto de fastidio de su hermano.) Por supuesto, puede ser otra mentira. *(Ante otra sombra, que se detiene.)* ¿Y
  éste? No tiene mucho que hacer. Pasea.

*(De pronto, la sombra se agacha y mira por el tragaluz. Un mo-
mento de silencio.)*

EL PADRE. ¿Quién es ése?

(La sombra se incorpora y desaparece.)

VICENTE. *(Incómodo.)* Un curioso...
MARIO. *(Domina con dificultad su emoción.)* Como nosotros.
  Pero ¿quién es? Él también se pregunta: ¿quiénes son ésos?

Ésa sí era una mirada... sobrecogedora. Yo me siento... él...

VICENTE. ¿Era éste el prodigio que esperabas?

MARIO. *(Lo considera con ojos enigmáticos.)* Para ti no es nada,
ya lo veo. Habrá que probar por otro lado.

VICENTE. ¿Probar?

*(Los chiquillos vuelven a pasar en dirección contraria. Se detie-
nen y se oyen sus voces: «Aquí nos pueden ver. Vamos a la glorieta y allí la empezamos.» «Eso, eso. A la glorieta.» «¡Maricón
el último!» Corren y desaparecen sus sombras.)*

MARIO. Los de antes. Hablan de una cajetilla.

[VICENTE. *(Intrigado a su pesar.)* ¿Tú crees?]

[MARIO.] Ya ves que he acertado.

VICENTE. Una casualidad.

MARIO. Desde luego tampoco éste es el prodigio. Sin embargo,
yo diría que hoy...

VICENTE. ¿Qué?

MARIO. *(Lo mira fijamente.)* Nada. *(Cruzan dos o tres sombras.
Vicente va a hablar.)* Calla.

(Miran al tragaluz. No pasa nadie.)

VICENTE. *(Musita.)* No pasa nadie...

MARIO. No.

VICENTE. Ahí hay otro.

*(Aparece la sombra de unas piernas. Pertenecen a un hombre
que deambula sin prisa. Se detiene justamente ante el tragaluz
y se vuelve poco a poco, con las manos en la espalda, como si
contemplase la calle. Da un par de pasos más y vuelve a dete-
nerse. Mario espía a su hermano.)*

MARIO. ¡No puede ser!

VICENTE. ¿Qué?

MARIO. ¿No te parece que es...?

VICENTE. ¿Quién? *(Un silencio.)* ¿Alguien del barrio?

MARIO. Si es él, me pregunto qué le ha traído por aquí. Puede que venga a observar... [Estos ambientes le interesan...]
VICENTE. ¿De quién hablas?
MARIO. Juraría que es él. ¿No crees? Fíjate bien. El pantalón oscuro, la chaqueta de mezclilla... Y esa manera de llevar las manos a la espalda... Y esa cachaza...[14]
VICENTE. *(Muy asombrado.)* ¿Eugenio Beltrán? *(Se levanta y corre al tragaluz. La sombra desaparece. Mario no pierde de vista a su hermano. Vicente mira en vano desde un ángulo.)* No le he visto la cara. *(Se vuelve.)* ¡Qué tontería! *(Mario guarda silencio.)* ¡No era él, Mario! *(Mario no contesta.)* ¿O te referías a otra persona? *(Mario se levanta sin responder. La voz de Vicente se vuelve áspera.)* ¿Ves cómo son figuraciones, engaños? *(Mario va al tragaluz.)* ¡Si éstos son los prodigios que se ven desde aquí, me río de tus prodigios! ¡Si es ésta tu manera de conocer a la gente, estás aviado! *(Al tiempo que pasa otra sombra, Mario cierra el tragaluz y gira la invisible falleba. La enrejada mancha luminosa desaparece.)* ¿O vas a sostener que era él? ¡No lo era!
MARIO. *(Se vuelve hacia su hermano.)* Puede que no fuera él. Y puede que en eso, precisamente, esté el prodigio.

(Torna a su mesita y recoge de allí un pitillo, que enciende. Vicente se ha inmutado; ahora no lo pierde de vista. Va a hablar, pero se arrepiente. La luz vibra y crece en el primer término. Encarna entra por la izquierda, mira hacia la derecha, consulta su reloj y se sienta junto al velador. El padre se levanta llevando en la mano un muñeco que ha recortado.)

EL PADRE. Toma, señorito. *(Vicente lo mira, desconcertado.)* Hay que tener hijos y velar por ellos. Toma uno. *(Vicente toma el muñeco. El padre va a volver a su sillón y se detiene.)* ¿No llora otra vez? *(Vicente lo mira, asombrado.)* Lo oigo en el pasillo.

---

[14] *cachaza:* lentitud y sosiego en el modo de hablar o de obrar.

(Va hacia el pasillo. La puerta del fondo se abre y entra La madre con un paquetito.)

LA MADRE. *(Mientras cierra.)* Me han hecho esperar, hijo. Ahora mismo merendamos.
EL PADRE. Ya no llora.

(Vuelve a sentarse para mirar revistas.)

LA MADRE. Te he traído ensaimadas. *(Exhibe el paquetito y lo deja sobre la cómoda.)* ¡En un momento caliento la leche!

(Corre al pasillo y se detiene al oír a su hijo.)

VICENTE. *(Frío.)* Lo siento madre. Tengo que irme.
LA MADRE. Pero, hijo...
VICENTE. Se me ha hecho tardísimo. *(Se acerca al padre para devolverle el muñeco de papel, que conservó en la mano. El padre lo mira. Él vacila y al fin se lo guarda en el bolsillo.)* Adiós, madre.
LA MADRE. *(Que, entre tanto, abrió aprisa el paquete.)* Tómate al menos una ensaimada...
VICENTE. No, gracias. Tengo prisa. *(La besa. Se despide de su hermano sin mirarlo.)* Adiós, Mario.

(Se encamina al pasillo.)

MARIO. Adiós.
LA MADRE. Vuelve pronto...
VICENTE. Cuando pueda, madre. Adiós.
LA MADRE. *(Vuelve a besarlo.)* Adiós... *(Sale Vicente. Mario apaga bruscamente su pitillo; con gesto extrañamente eufórico, atrapa una ensaimada y la devora. La madre lo mira, intrigada.)* Te daré a ti la leche...
MARIO. Sólo esta ensaimada. *(Recoge su tabaco y se lo guarda.)* Yo también me voy. *(Consulta su reloj.)* Hasta luego. *(Por el pasillo, su voz parece un clarín.)* ¡Está muy rica esta ensaimada, madre!

(Mario sale. La madre se vuelve hacia su marido, pensativa.)

LA MADRE. Si pudiéramos hablar como hace años, me contarías...

(Suspira y se va hacia la cocina, cuya puerta cierra. Una pausa. Se oye un frenazo próximo. Encarna mira hacia la derecha y se turba. Para ocultar su cara se vuelve un tanto. Vicente aparece por la derecha y llega a su lado.)

VICENTE. ¿Qué haces tú aquí?
ENCARNA. ¡Hola! ¡Qué sorpresa!
VICENTE. Eso digo yo.
ENCARNA. Esperaba a mi amiga. *(Consulta la hora.)* Ya no viene.
VICENTE. ¿Cómo lo sabes?
ENCARNA. Llevo aquí mucho rato...
VICENTE. *(Señala el velador.)* ¿Sin tomar nada?
ENCARNA. *(Cada vez más nerviosa.)* Bebí una cerveza... Ya se han llevado el vaso.

(Mira inquieta hacia el café invisible. Un silencio. Vicente lanza una ojeada suspicaz hacia la derecha.)

VICENTE. Mis padres y mi hermano viven cerca. ¿Lo sabías?
ENCARNA. Qué casualidad...
VICENTE. *(En tono de broma.)* ¿No será a un amigo a quien esperabas?
ENCARNA. *(Roja.)* No me gustan esas bromas.
VICENTE. ¿No me invitas a quedarme? Podemos esperar a tu amiga juntos.
ENCARNA. ¡Si ya no vendrá! *(Baja la cabeza, trémula.)* Pero... como quieras.
VICENTE. *(La mira fijamente.)* Mejor será irse. Ahora sí que podrás dedicarme la noche...
ENCARNA. ¡Claro! *(Se levanta, ansiosa.)* ¿Adónde vamos?
VICENTE. A mi casa, naturalmente.

(La toma del brazo y salen los dos por la derecha. El coche arran-
ca. Una pausa. Se oyen unos golpecitos en un cristal. El padre
levanta la vista de sus revistas y, absorto, mira al tragaluz. Ma-
rio entra por el primer término derecho y, al ver el velador
solitario, frunce las cejas. Mira su reloj; esboza un gesto de de-
sesperanza. Se acerca al velador, vacila. Al fin se sienta, con
expresión sombría. Una pausa. Los golpecitos sobre el cristal se
repiten. El padre, que los aguardaba, se levanta; mira hacia el
fondo para cerciorarse de que nadie lo ve y corre a abrir el tragaluz.
La claridad del primer término se amortiguó notablemente. Ma-
rio es casi una sombra inmóvil. Sobre el cuarto de estar vuelve
a proyectarse la luminosa mancha del tragaluz. Agachados para
mirar, se dibujan las sombras de dos niños y una niña.)

VOZ DE NIÑO. *(Entre las risas de los otros dos.)* ¿Cómo le va,
    abuelo?
EL PADRE. *(Ríe con ellos.)* ¡Hola!
VOZ DEL OTRO NIÑO. ¿Nos da una postal, abuelo?
VOZ DE NIÑO. Mejor un pitillo.
EL PADRE. *(Feliz.)* ¡No se fuma, granujas!
VOZ DE NIÑA. ¿Se viene a la glorieta, abuelo?
EL PADRE. ¡Ten tú cuidado en la glorieta, Elvirita! ¡Eres tan pe-
    queña! *(Risas de los niños.)* ¡Mario! ¡Vicente! ¡Cuidad de
    Elvirita!
VOZ DEL OTRO NIÑO.. *(Entre las risas de todos.)* ¡Véngase a ju-
    gar, abuelo!
EL PADRE. *(Riendo.)* ¡Sí, sí! ¡A jugar!...
VOZ DE NIÑO.. ¡Adiós, abuelo!

(Su sombra se incorpora.)

EL PADRE. ¡Vicente! ¡Mario! ¡Elvirita! *(Las sombras inician la*
    marcha, entre risas.) ¡Esperadme!...
VOZ DE NIÑA. Adiós...

(Las sombras desaparecen.)

EL PADRE. *(Sobre las risas que se alejan.)* ¡Elvirita!...

(Solloza inconteniblemente, en silencio. Crece una oscuridad casi total, al tiempo que dos focos iluminan a los investigadores, que aparecen por ambos laterales.)

ELLA. *(Sonriente.)* Volved a vuestro siglo... La primera parte del experimento ha terminado.

(El telón empieza a caer.)

ÉL. Gracias por vuestra atención.

Telón

PARTE SEGUNDA

(El telón comienza a subir lentamente. Se inician las vibraciones luminosas. Los investigadores, uno a cada lateral, están fuertemente iluminados. El escenario está en penumbra; en la oficina y en el cuarto de estar la luz crece un tanto. Inmóvil y sentada a la mesa de la oficina, Encarna. Inmóviles y abrazados en la vaga oscuridad del pasillo, La madre y Vicente.)

ELLA. Comienza la segunda parte de nuestro experimento.

ÉL. Sus primeras escenas son posteriores en ocho días a las que habéis visto.[15] *(Señala a la escena.)* Los proyectores trabajan ya y por ello vemos presencias, si bien aún inmóviles.

ELLA. Los fragmentos rescatados de esos días no son imprescindibles. Vimos en ellos a Encarna y a Vicente trabajando en la oficina y sin hablar apenas...

ÉL. También los vimos en una alcoba, que sería quizá la de Vicente, practicando rutinariamente el amor físico.

ELLA. Captamos asimismo algunos fragmentos de la intimidad de Mario y sus padres. Muñecos recortados, pruebas corregidas, frases anodinas... Minutos vacíos.

ÉL. Pero no captamos ningún nuevo encuentro entre Encarna y Mario.

---

(15) Nueva elipsis temporal en la historia, ahora de ocho días.

ELLA. Sin duda, no lo hubo.

ÉL. El experimento se reanuda, con visiones muy nítidas, durante una inesperada visita de Vicente a su antigua casa.

(La luz llega a su normal intensidad en la oficina y en el cuarto de estar. Encarna comienza a moverse lentamente.)

ELLA. Recordaréis que su hermano se lo había dicho: «Tú vuelves cada vez con más frecuencia...»

ÉL. *(Señala al escenario.)* El resto de la historia nos revelará los motivos.

(Salen Él y Ella por ambos laterales. La luz crece sobre La madre y el hijo. Encarna repasa papeles: está ordenando cartas para archivar. Su expresión es marchita. La madre y Vicente deshacen el abrazo. Mientras hablan, Encarna va al archivador y mete algunas carpetas. Pensativa, se detiene. Luego vuelve a la mesa y sigue su trabajo.)

LA MADRE. *(Dulce.)* ¡Te me estás volviendo otro! Vienes tanto ahora... *(Vicente sonríe.)* Pasa, pasa. ¿Quieres tomar algo? Leche no queda, pero te puedo dar una copita de anís.

(Llegan al cuarto de estar.)

VICENTE. Nada, madre. Gracias.

LA MADRE. O un vasito de tinto...

VICENTE. De verdad que no, madre.

(Encarna mira al vacío, sombría.)

LA MADRE. ¡Mala suerte la mía!

VICENTE. ¡No lo tomes tan a pecho!

LA MADRE. ¡No es eso! Yo tenía que subir a ayudar a la señora Gabriela. Quiere que le enseñe cómo se hacen los huevos a la besamel. Es más burra...

VICENTE. Pues sube.

LA MADRE. ¡Que se espere! Tu padre salió a pasear con el se-
ñor Anselmo. No tardarán en volver, pero irán arriba.
VICENTE. *(Se sienta con aire cansado.)* ¿No está Mario?
LA MADRE. Tampoco.

(Encarna deja sus papeles y oculta la cabeza entre las manos.)

VICENTE. ¿Qué tal sigue padre?

(Enciende un cigarrillo.)

LA MADRE. Bien, a su modo.

(Va a la mesita para tomar el cenicero de Mario.)

VICENTE. ¿Más irritado?
LA MADRE. *(Avergonzada.)* ¿Lo dices por lo de... la televisión?
VICENTE. Olvida eso.
LA MADRE. Él siempre ha sido irritable... Ya lo era antes de
enfermar.
VICENTE. De eso hace ya mucho...
LA MADRE. Pero me acuerdo.

(Le pone el cenicero al lado.)

VICENTE. Gracias.
LA MADRE. Yo creo que tu padre y el señor Anselmo están ya
arriba. Voy a ver.

(Va hacia el fondo.)

VICENTE. Y del tren, ¿te acuerdas?

*(La madre se vuelve despacio y lo mira. Comienza a sonar en el
mismo instante el teléfono de la oficina. Encarna se sobresalta
y lo mira, sin atreverse a descolgar.)*

LA MADRE. ¿De qué tren?

VICENTE. *(Ríe, con esfuerzo.)* ¡Qué mala memoria! *(El teléfono sigue sonando. Encarna se levanta, mirándolo fijamente y retorciéndose las manos.)* Sólo perdisteis uno, que yo sepa... *(La madre se acerca y se sienta a su lado. Encarna va a tomar el teléfono, pero se arrepiente.)* ¿O lo has olvidado?

LA MADRE. Y tú, ¿por qué te acuerdas? ¿Porque tu padre ha dado en esa manía de que el tragaluz es un tren? Pero no tiene ninguna relación... [16]

(El teléfono deja de sonar. Encarna se sienta, agotada.)

VICENTE. Claro que no la tiene. Pero, ¿cómo iba yo a olvidar aquello?

LA MADRE. Fue una pena que no pudieses bajar. Culpa de aquellos brutos que te sujetaron...

VICENTE. Quizá no debí apresurarme a subir.

LA MADRE. ¡Si te lo mandó tu padre! ¿No te acuerdas? Todos teníamos que intentarlo como pudiéramos. Tú eras muy ágil y pudiste escalar la ventanilla de aquel retrete, pero a nosotros no nos dejaron ni pisar el estribo...

(Mario entra por el primer término izquierdo, con un libro bajo el brazo y jugando, ceñudo, con una ficha de teléfono. La luz creció sobre el velador poco antes. Mario se sienta al velador. Encarna levanta los ojos enrojecidos y mira al vacío: acaso imagina que Mario está donde efectivamente se encuentra. Durante los momentos siguientes Mario bate de vez en cuando, caviloso, la ficha sobre el velador.)

---

(16) Obsérvese la actitud de La madre. Desde luego no ha olvidado la tragedia del tren. En la primera parte, a la pregunta de Mario sobre si se acordaba mucho de Elvirita, contestó, bajando la voz: «Todos los días». Tampoco ella ha olvidado, aunque se empeñe en hacer olvidar a los demás. Sabe o, al menos, intuye *la verdad* y, por tanto, la relación entre el tren y el tragaluz. Su afirmación es voluntarista: *no quiere* (porque la conoce) que se desvele esa relación.

VICENTE. *(Entre tanto.)* La pobre nena...

LA MADRE. Sí, hijo. Aquello fue fatal. *(Se queda pensativa. Encarna torna a levantarse, consulta su reloj con atormentado gesto de duda y se queda apoyada contra el mueble, luchando consigo misma. La madre termina su triste recuerdo.)* ¡Malditos sean los hombres que arman las guerras! *(Suena el timbre de la casa.)* Puede que sea tu hermano. *(Va al fondo y abre. Es su marido, que entra sin decir nada y llega hasta el cuarto de estar. Entre tanto La madre sale al zaguán e interpela a alguien invisible.)* ¡Gracias, señor Anselmo! Dígale a la señora Gabriela que ahora mismo subo. *(Cierra y vuelve. El padre está mirando a Vicente desde el quicio de la puerta.)* ¡Mira! Ha venido Vicentito.

EL PADRE. Claro. Yo soy Vicentito.

LA MADRE. ¡Tu hijo, bobo!

(Ríe.)

EL PADRE. Buenas tardes, señorito. A usted le tengo yo por aquí...

(Va a la mesa y revuelve sus postales.)

LA MADRE. ¿No te importa que te deje un rato con él? Como He prometido subir...

EL PADRE. Quizá en la sala de espera.

(Va a la cómoda y abre el cajón, revolviendo muñecos de papel.)

VICENTE. Sube, madre. Yo cuidaré de él.

EL PADRE. Pues aquí no lo encuentro...

LA MADRE. De todos modos, si viene Mario y tienes que irte...

VICENTE. Tranquila. Esperaré a que bajes.

LA MADRE. *(Le sonríe.)* Hasta ahora, hijo. *(Sale corriendo por el fondo, mientras murmura.)* Maldita vieja de los diablos, que no hace más que dar la lata...

(Abre y sale, cerrando. Vicente mira a su padre. Encarna y Mario miran al vacío. Encarna se humedece los labios, se apresta a una dura prueba. Con rapidez casi neurótica enfunda la máquina, recoge su bolso y, con la mano en el pestillo de la puerta, alienta, medrosa. Al fin abre y sale, cerrando. Desalentado por una espera que juzga ya inútil, Mario se levanta y cruza para salir por la derecha. El padre cierra el cajón de la cómoda y se vuelve.)[17]

EL PADRE. Aquí tampoco está usted. *(Ríe.)* Usted no está en ninguna parte.

(Se sienta a la mesa y abre una revista.)

VICENTE. *(Saca una postal del bolsillo y la pone ante su padre.)* ¿Es aquí donde estoy, padre?

(El padre examina detenidamente la postal y luego la mira.)

EL PADRE. Gracias, jovencito. Siempre necesito trenes. Van todos tan repletos...

(Mira otra vez la tarjeta, la aparta y vuelve a su revista.)

VICENTE. ¿Es cierto que no me recuerda?
EL PADRE. ¿Me habla usted a mí?
VICENTE. Padre, soy su hijo.
EL PADRE. ¡Je! De algún tiempo a esta parte todos quieren ser mis hijos. Con su permiso, recortaré a este señor. Creo que sé quién es.

---

(17) El espectador ha asistido a tres acciones simultáneas. Además de la conversación entre Vicente y La madre, dos escenas mudas: la lucha interior de Encarna en la oficina y la espera frustrada de Mario en el cafetín. Ahora la atención se concentra en un solo espacio, la casa familiar. Así lo exige la importancia de la escena que tiene lugar a continuación.

[VICENTE. Y yo, ¿sabe quién soy?
EL PADRE. Ya le he dicho que no está en mi archivo.
VICENTE. *(Vuelve a ponerle delante la postal del tren.)* ¿Ni aquí?
EL PADRE. Tampoco.]

(Se dispone a recortar.)

VICENTE. ¿Y Mario? ¿Sabe usted quién es?
EL PADRE. Mi hijo. Hace años que no lo veo.
VICENTE. Vive aquí, con usted.
EL PADRE. *(Ríe.)* Puede que esté en la sala de espera.
VICENTE. Y... ¿sabe usted quién es Elvirita? *(El padre deja de
reír y lo mira. De pronto se levanta, va al tragaluz, lo abre y
mira al exterior. Pasan sombras truncadas de viandantes.)* No.
No subieron al tren.
EL PADRE. *(Se vuelve, irritado.)* Subieron todos. ¡Todos o
ninguno!
VICENTE. *(Se levanta.)* ¡No podían subir todos! ¡No hay que
guardarle rencor al que pudo subir!...

*(Pasan dos amigos hablando. Las sombras de sus piernas cru-
zan despacio. Apenas se distinguen sus palabras.)*

EL PADRE. ¡Chist! ¿No los oye?
VICENTE. Gente que pasa. *(Cruzan otras sombras.)* ¿Lo ve? Pobres diablos a quienes no conocemos. *(Enérgico.)* ¡Vuelva a
sentarse, padre! *(Perplejo, El padre vuelve despacio a su sitio.
Vicente lo toma de un brazo y lo sienta suavemente.)* No pregunte tanto quiénes son los que pasan, o los que están en esas
postales... Nada tienen que ver con usted y muchos de ellos
ya han muerto. En cambio, dos de sus hijos viven... Tiene que
aprender a reconocerlos. *(Cruzan sombras rápidas. Se oyen voces: «¡Corre, que no llegamos!» «¡Sí, hombre! ¡Sobra tiempo!»)* Ya los oye: personas corrientes, que van a sus cosas.
EL PADRE. No quieren perder el tren.
VICENTE. *(Se enardece.)* ¡Eso es una calle, padre! Corren para
no perder el autobús, o porque se les hace tarde para el cine...

(Cruzan, en dirección contraria a las anteriores, las sombras de las piernas de dos muchachas. Se oyen sus voces. «Luisa no quería, pero Vicente se puso tan pesado, chica, que...» Se pierde el murmullo. Vicente mira al tragaluz, sorprendido. Comenta, inseguro.) Nada... Charlas de muchachas...

EL PADRE. Han nombrado a Vicente.

VICENTE. *(Nervioso.)* ¡A otro Vicente!

EL PADRE. *(Exaltado, intenta levantarse.)* ¡Hablaban de mi hijo!

VICENTE. *(Lo sujeta en la silla.)* ¡Yo soy su hijo! ¿Tiene usted algo que decirle a su hijo? ¿Tiene algo que reprocharle?

EL PADRE. ¿Dónde está?

VICENTE. ¡Ante usted!

EL PADRE. *(Después de mirarle fijamente vuelve a recortar su postal, mientras profiere, desdeñoso.)* Márchese.

(Cruzan sombras. Vicente suspira y se acerca al tragaluz.)

VICENTE. ¿Por qué no dice «márchate» en lugar de «márchese»? Soy su hijo.

EL PADRE. *(Mirándolo con ojos fríos.)* Pues márchate.

VICENTE. *(Se vuelve en el acto.)* ¡Ah! ¡Por fin me reconoce! *(Se acerca.)* Déjeme entonces decirle que me juzga mal. Yo era casi un niño...

EL PADRE. *(Pendiente del tragaluz.)* ¡Calle! Están hablando.

VICENTE. ¡No habla nadie!

(Mientras lo dice, la sombra de unas piernas masculinas ha cruzado, seguida por la más lenta de unas piernas de mujer, que se detienen. Se oyen sus voces.)

VOZ FEMENINA. *(Inmediatamente después de hablar Vicente.)* ¿Los protegerías?

VICENTE. *(Inmediatamente después de la voz.)* ¡No hay nada ahí que nos importe!

(Aún no acabó de decirlo cuando se vuelve, asustado, hacia el tragaluz. La sombra masculina que casi había desaparecido, reaparece.)

VOZ MASCULINA. ¡Vamos!
VOZ FEMENINA. ¡Contéstame antes!
VOZ MASCULINA. No estoy para hablar de tonterías.

(Las sombras denotan que el hombre aferró a la mujer y que ella se resiste a caminar.)

VOZ FEMENINA. Si tuviéramos hijos, ¿los protegerías?
VOZ MASCULINA. ¡Vamos, te he dicho!

(El hombre remolca a la mujer.)

VOZ FEMENINA. *(Angustiada.)* ¡Di!... ¿Los protegerías?...

(las sombras desaparecen.)

VICENTE. *(Descompuesto.)* No puede ser... Ha sido otra casualidad... [18] *(A su padre.)* ¿O no ha pasado nadie?
EL PADRE. Dos novios.
VICENTE. ¿Hablaban? ¿O no han dicho nada?
EL PADRE. *(Después de un momento.)* No sé.

---

(18) En la primera escena de la obra Encarna hacía a Vicente la misma insistente pregunta de la Voz femenina. El tragaluz devuelve, pues, a Vicente los fantasmas de sus víctimas *actuales*. Antes, Beltrán; ahora, Encarna. En el primer caso el «reconocimiento» parece, en parte al menos, provocado por una treta de Mario. Esta vez, en palabras de Buero, «no se sabe si se trata de una obsesión de Vicente o si, efectivamente, la pareja ha pronunciado las palabras. Pero no se descarta la coincidencia significativa». Aunque, añade, «la coincidencia es algo que creamos nosotros, claro está. No se trata de un ángel mensajero que la lleve a cabo» (A. C. Isasi Angulo, *Diálogos del teatro español de postguerra*, Madrid, Ayuso, 1974, p. 70). Es preciso recordar lo que decían los investigadores en su primera intervención:

> ELLA. Algunas palabras procedentes del tragaluz se han inferido igualmente mediante los cerebros electrónicos.
> ÉL. Pero su condición de fenómeno real es, ya lo comprenderéis, más dudosa.

(Vicente lo mira, pálido, y luego mira al tragaluz. De pronto, lo cierra con brusquedad.)

VICENTE. *(Habla para sí, trémulo.)* No volveré aquí... No debo volver... No. *(El padre empieza a reír, suave pero largamente, sin mirarlo. Vicente se vuelve y lo mira, lívido.)* ¡No!... *(Retrocede hacia la cómoda, denegando.)* No.

(Se oyó la llave en la puerta. Entra Mario, cierra y llega hasta el cuarto de estar.)

MARIO. *(Sorprendido.)* Hola.
VICENTE. Hola.
MARIO. ¿Te sucede algo?
VICENTE. Nada.
MARIO. *(Mira a los dos.)* ¿Y madre?
VICENTE. Subió a casa de la señora Gabriela.

(Mario cruza para dejar sobre su mesita el libro que traía.)

EL PADRE. *(Canturrea.)*

La Rosenda está estupenda,
la Vicenta está opulenta...

MARIO. *(Se vuelve y mira a su hermano.)* Algo te pasa.
VICENTE. Sal de esta casa, Mario.
MARIO. *(Sonríe y pasea.)* ¿A jugar el juego?
EL PADRE. Ven acá, señorito. ¿A que no sabes quién es ésta?
MARIO. ¿Cuál?
EL PADRE. Ésta. *(Le da la lupa.)* Mira bien.

(Encarna entra por el primer término izquierdo y se detiene, vacilante, junto al velador. Consulta su reloj. No sabe si sentarse.)

MARIO. *(A su hermano.)* Es una calle muy concurrida de Viena.
EL PADRE. ¿Quién es?

MARIO. Apenas se la distingue. Está parada junto a la terraza de un café. ¿Quién pudo ser?

EL PADRE. ¡Eso!

MARIO. ¿Qué hizo?

EL PADRE. ¡Eso! ¿Qué hizo?

MARIO. *(A su hermano.)* ¿Y qué le hicieron?

EL PADRE. Yo sé lo que le hicieron. Trae, señorito. Ella me dirá lo que falta. *(Le arrebata la postal y se levanta.)* Pero no aquí. Ella no hablará ante extraños.

(Se va por el pasillo, mirando la postal con la lupa, y entra en su habitación, cerrando.)

VICENTE. Vente a la Editora, Mario. En la primera etapa puedes dormir en mi casa. *(Mario lo mira y se sienta, despatarrado, en el sillón de su padre.)* Estás en peligro: actúas como si fueses el profeta de un dios ridículo... De una religión que tiene ya sus ritos: las postales, el tragaluz, los monigotes de papel... ¡Reacciona!

(Encarna se decide y continúa su marcha, aunque lentamente, saliendo por el lateral derecho.)

MARIO. Me doy plena cuenta de lo extraños que somos. Pero yo elijo esa extrañeza.

VICENTE. ¿Eliges?

MARIO. Mucha gente no puede elegir, o no se atreve. *(Se incorpora un poco; habla con gravedad.)* Tú y yo hemos podido elegir, afortunadamente. Yo elijo la pobreza.

VICENTE. *(Que paseaba, se le encara.)* Se pueden tener ambiciones y ponerlas al servicio de una causa noble.

MARIO. *(Frío.)* Por favor, nada de tópicos. El que sirve abnegadamente a una causa no piensa en prosperar y, por lo tanto, no prospera. ¡Quiá! A veces, incluso pierde la vida... Así que no me hables tú de causas, ni siquiera literarias.

VICENTE. No voy a discutir. Si es tu gusto, sigue pensando así. Pero ¿no puedes pensarlo... en la Editora?

MARIO. ¿En la Editora? *(Ríe.)* ¿A qué estáis jugando allí? Porque yo ya no lo sé...

VICENTE. Sabes que soy hombre de ideas avanzadas. Y no sólo literariamente.

MARIO. *(Se levanta y pasea.)* Y el grupo que os financia ahora, ¿también lo es?

VICENTE. ¿Qué importa eso? Usamos de su dinero y nada más.

MARIO. Y ellos, ¿no os usan a vosotros?

VICENTE. ¡No entiendes! Es un juego necesario...

MARIO. ¡Claro que entiendo el juego! Se es un poco revolucionario, luego algo conservador... No hay inconveniente, pues para eso se siguen ostentando ideas avanzadas... El nuevo grupo nos utiliza... Nos dejamos utilizar, puesto que los utilizamos... ¡Y a medrar todos! Porque, ¿quién sabe ya hoy a lo que está jugando cada cual? Sólo los pobres saben que son pobres.

VICENTE. Vuelves a acusarme y eso no me gusta.

MARIO. A mí no me gusta tu Editora.

VICENTE. *(Se acerca y le aferra por un hombro.)* ¡No quiero medias palabras!

MARIO. ¡Te estoy hablando claro! ¿Qué especie de repugnante maniobra estáis perpetrando contra Beltrán?

VICENTE. *(Rojo.)* ¿De qué hablas?

MARIO. ¿Crees que no se nota? La novela que le ibais a editar, de pronto, no se edita. En las pruebas del nuevo número de la revista, tres alusiones contra Beltrán; una de ellas, en tu columna. Y un artículo contra él. ¿Por qué?

VICENTE. *(Le da la espalda y pasea.)* Las colaboraciones son libres.

MARIO. También tú, para encargar y rechazar colaboraciones. *(Irónico.)* ¿O no lo eres?

VICENTE. ¡Hay razones para todo eso!

MARIO. Siempre hay razones para cometer una canallada.

VICENTE. Pero, ¿quién es Beltrán? ¿Crees tú que él ha elegido la oscuridad y la pobreza?

MARIO. Casi. Por lo pronto, aún no tiene coche, y tú ya lo tienes.

VICENTE. ¡Puede comprárselo cuando quiera!

MARIO. Pero no quiere. *(Se acerca a su hermano.)* Le interesan cosas muy distintas de las que te obsesionan a ti. No es un pobre diablo más, corriendo tras su televisión o su nevera; no es otro monicaco detrás de un volante, orgulloso de obstruir un poco más la circulación de esta ciudad insensata... Él ha elegido... la indiferencia.

VICENTE. ¡Me estás insultando!

MARIO. ¡Él es otra esperanza! Porque nos ha enseñado que también así se puede triunfar..., aunque sea en precario... *(Grave.)* Y contra ese hombre ejemplar os estáis inventando razones importantes para anularlo. Eso es tu Editora. *(Se están mirando intensamente. Suena el timbre de la casa.)* Y no quiero herirte, hermano. Soy yo quien está intentando salvarte a ti. *(Sale al pasillo. Abre la puerta y se encuentra ante él a Encarna, con los ojos bajos.)* ¿Tú? *(Se vuelve instintivamente hacia el cuarto de estar y baja la voz.)* Vete al café. Yo iré dentro de un rato.

(Pero Vicente se ha asomado y reconoce a Encarna.)

VICENTE. ¡Al contrario, que entre! Sin duda no es su primera visita. ¡Adelante, Encarna! *(Encarna titubea y se adelanta. Mario cierra.)* Ya sabes que lo sospeché. *(Fuerte.)* ¿Qué haces ahí parada? *(Encarna avanza con los ojos bajos. Mario la sigue.)* No me habéis engañado: sois los dos muy torpes. ¡Pero ya se acabaron todos los misterios! *(Ríe.)* ¡Incluidos los del viejo y los del tragaluz! No hay misterios. No hay más que seres humanos, cada cual con sus mezquindades. Puede que todos seamos unos redomados hipócritas, pero vosotros también lo sois. Conque ella era quien te informaba, ¿eh? Aunque no del todo, claro. También ella es hipócrita contigo. ¡Pura hipocresía, hermano! No hay otra cosa. Adobada, eso sí, con un poquito de romanticismo... ¿Sois novios? ¿Te dio ya el dulce «sí»? *(Se sienta, riendo.)* ¿A que no?

MARIO. Aciertas. Ella no ha querido.

VICENTE. *(Riendo.)* ¡Claro!

MARIO. *(A Encarna.)* ¿Le hablaste de la carta?

(Ella deniega.)

VICENTE. ¡Siéntate, Encarna! ¡Como si estuvieras en tu casa!
(Ella se sienta.) ¡Vamos a ver! ¿De qué carta me tenías que
hablar?

(Un silencio.)

MARIO. Sabes que estoy a tu lado y que te ayudaré.

(Un silencio.)

VICENTE. ¡Me intrigáis!
MARIO. ¡Ahora o nunca, Encarna!
ENCARNA. *(Desolada.)* Yo... venía a decirte algo a ti. Sólo a ti.
Después, le habría hablado. Pero ya...

(Se encoge de hombros, sin esperanza.)

MARIO. *(Le pone una mano en el hombro.)* Te juro que no hay
nada perdido. *(Dulce.)* ¿Quieres que se lo diga yo?

(Ella desvía la vista.)

VICENTE. ¡Sí, hombre! ¡Habla tú! Veamos qué misteriosa carta
es ésa.
MARIO. *(Después de mirar a Encarna, que rehúye la mirada.)*
De una Editora de París, pidiéndoos los derechos de una obra
de Beltrán.
VICENTE. *(Lo piensa. Se levanta.)* Sí... Llegó una carta y se ha
traspapelado. *(Con tono de incredulidad.)* ¿La tenéis vosotros?
MARIO. *(Va hacia él.)* Ha sido encontrada, hecha añicos, en tu
cesto.
VICENTE. *(Frío.)* ¿Te dedicas a mirar en los cestos, Encarna?
MARIO. ¡Fue casual! Al tirar un papel vio el membrete y le lla-
mó la atención.
VICENTE. ¿Por qué no me lo dijiste? Le habríamos pasado en

seguida una copia al interesado. No olvides llevarla mañana. *(Encarna lo mira, perpleja.)* Quizá la rasgué sin darme cuenta al romper otros papeles...

MARIO. *(Tranquilo.)* Embustero.

VICENTE. ¡No te tolero insultos!

MARIO. Y toda esa campaña de la revista contra Beltrán, ¿también es involuntaria? ¡Está mintiendo, Encarna! ¡No se lo consientas! ¡Tú puedes hablarle de muchas otras cosas!

VICENTE. ¡Ella no hablará de nada! [Y tampoco me habría hablado de nada después de hablar contigo, como ha dicho, porque tampoco a ti te habría revelado nada especial... Alguna mentirilla más, para que no la obligases a plantearme esas manías tuyas.] ¿Verdad, Encarna? Porque tú no tienes nada que reprocharme... Eso se queda para los ilusos que miran por los tragaluces y ven gigantes donde deberían ver molinos. [19] *(Sonríe.)* No, hermano. Ella no dice nada... *(Mira a Encarna, que lo mira.)* Ni yo tampoco. *(Ella baja la cabeza.)* Y ahora, Encarna, escucha bien: ¿quieres seguir a mi lado?

(Un silencio. Encarna se levanta y se aparta, turbada.)

MARIO. ¡Contesta!

ENCARNA. *(Musita, con enorme cansancio.)* Sí.

MARIO. No.

(Ella lo mira.)

VICENTE. ¿Cómo?

MARIO. Encarna, mañana dejas la Editora.

---

(19) Alusión al *Quijote* (I, cap. VIII), obra que Buero ha señalado como una de las más profundas fuentes literarias de su teatro y que constituye la base de *Mito*. La caracterización de los personajes «contemplativos», frecuentemente tachados de «locos», aparece así enriquecida con el matiz de quijotismo. Después se repite la alusión: Vicente llama a Mario «caballero andante».

VICENTE. *(Riendo.)* ¡Si no puede! Eso sí lo diré. ¿Tan loco te
ha vuelto el tragaluz que ni siquiera te das cuenta de cómo
es la chica con quien sales? ¿No la escuchabas, no le mirabas
a la cara? ¿Le mirabas sólo a las piernas, como a los que pasan por ahí arriba? ¿No sabes que escribe «espontáneo» con
equis? ¿Que confunde Belgrado con Bruselas? Y como no
aprendió a guisar, ni a coser, no tiene otra perspectiva que la
miseria..., salvo a mi lado. Y a mi lado seguirá, si quiere, porque..., a pesar de todo, la aprecio. Ella lo sabe... Y me gusta
ayudar a la gente, si puedo hacerlo. Eso también lo sabes tú.
MARIO. Has querido ofender con palabras suaves... ¡Qué torpe-
za! Me has descubierto el terror que le causas.
VICENTE. ¿Terror?
MARIO. ¡Ah, pequeño dictadorzuelo, con tu pequeño imperio
de empleados a quienes exiges que te pongan buena cara
mientras tú ahorras de sus pobres sueldos para tu hucha! ¡Ridículo aprendiz de tirano, con las palabras altruistas de todos
los tiranos en la boca...!
VICENTE. ¡Te voy a cerrar la tuya!
MARIO. ¡Que se avergüence él de tu miedo, Encarna, no tú! Te
pido perdón por no haberlo comprendido. Ya nunca más ten-
drás miedo. Porque tú sabes que aquí, desde mañana mismo,
tienes tu amparo.
VICENTE. ¿Le estás haciendo una proposición de matrimonio?
MARIO. Se la estoy repitiendo.
VICENTE. Pero todavía no ha accedido. *(Lento.)* Y no creo que
acceda. *(Un silencio.)* ¿Lo ves? No dice nada.
MARIO. ¿Quieres ser mi mujer, Encarna?
ENCARNA. *(Con mucha dificultad, después de un momento.)*
No.

*(Vicente resuella y sonríe, satisfecho. Mario mira a Encarna es-
tupefacto y va a sentarse lentamente al sillón de su padre.)*

VICENTE. ¡Ea! Pues aquí no ha pasado nada. Un desengaño sen-
timental sin importancia. Encarna permanece fiel a la Editora y me atrevo a asegurar que más fiel que nunca. No te mo-

lestes en ir por las pruebas; te las iré enviando para ahorrarte
visitas que, sin duda, no te son gratas. Yo también te libraré
de las mías: tardaré en volver por aquí. Vámonos, Encarna.

*(Se encamina al pasillo y se vuelve. Atrozmente nerviosa, Encar-
na mira a los dos. Mario juguetea, sombrío, con las postales.)*

ENCARNA. Pero no así...
VICENTE. *(Seco.)* No te entiendo.
ENCARNA. Así no, Vicente... *(Mario la mira.)* ¡Así no!
VICENTE. *(Avanza un paso.)* ¡Vámonos!
ENCARNA. ¡No...! ¡No!
VICENTE. ¿Prefieres quedarte?
ENCARNA. *(Con un grito que es una súplica.)* ¡Mario!
VICENTE. ¡Cállate y vámonos!
ENCARNA. ¡Mario, yo venía a decírtelo todo! Te lo juro. Y voy
a decirte lo único que aún queda por decir...
VICENTE. ¿Estás loca?
ENCARNA. Yo he sido la amante de tu hermano.

(Mario se levanta de golpe, descompuesto. Corta pausa.)

VICENTE. *(Avanza un paso, con fría cólera.)* Sólo un pequeño
error: no ha sido mi amante. Es mi amante. Hasta ayer, por
lo menos.
MARIO. ¡Canalla!
VICENTE. *(Eleva la voz.)* Porque ahora, claro, sí ha dejado de
serlo. Y también mi empleada...
MARIO. *(Aferra a su hermano y lo zarandea.)* ¡Bribón!
ENCARNA. *(Grita y procura separarlos.)* ¡No!
MARIO. ¡Gusano...!

(Lo golpea.)

ENCARNA. ¡No, por piedad!
VICENTE. ¡Quieto! ¡Quieto, imbécil! *(Logra repelerlo. Quedan
los dos frente a frente, jadeantes. Entre los dos, ella los mira
con angustia.)* ¡Ella es libre!

MARIO. ¡Ella no tenía otra salida!

VICENTE. ¡No vuelvas a inventar para consolarte! Ella me ha
querido... un poco. *(Encarna retrocede hasta la cómoda, turbada.)* Y es mala chica, Mario. Cásate con ella, si quieres. A
mí ya no me interesa. Porque no es mala, pero es embustera,
como todas. Además que, si no la amparas, se queda en la calle..., con un mes de sueldo. Tienes un mes para pensarlo. ¡Vamos, caballero andante! ¡Concédele tu mano! ¿O no te atre-
ves? No me vas a decir que tienes prejuicios: eso ya no se estila.

MARIO. ¡Su pasado no me importa!

VICENTE. *(Con una leve risa contenida.)* Si te entiendo... De
pronto, en el presente, ha dejado de interesarte. Como a mí.
Pásate mañana por la Caja, muchacha. Tendrás tu sobre.
Adiós. [20]

(Va a irse. Las palabras de Mario le detienen.)

MARIO. El sobre, naturalmente. Das uno, y a olvidar... ¡Pero tú
no puedes olvidar, aunque no vuelvas! Cuando cometas tu
próxima trapacería [1] recuerda que yo, desde aquí, te estaré juz-
gando. *(Lo mira muy frío y dice con extraño acento.)* Porque
yo sé.

VICENTE. *(Después de un momento.)* ¿De qué hablas?

MARIO. *(Le vuelve la espalda.)* Vete.

VICENTE. *(Se acerca.)* ¡Estoy harto de tus insidias! ¿A qué te
refieres?

---

[1] *trapacería:* engaño con que se perjudica y defrauda a alguien.

(20) La violencia, incluso física, del enfrentamiento entre los hermanos permite ver en esta escena la manifestación más clara del *cainismo,*
de raíz unamuniana, que algunos críticos han creído ver en ésta y otras
obras del autor. La historia bíblica de Caín y Abel sería el trasfondo mítico de conflictos como éste. Desde luego, lo que aflora en la escena es
una rivalidad mucho más compleja y profunda que la suscitada por Encarna. Las vidas completas de cada uno, las actitudes irreconciliables
que representan son las que se enfrentan abiertamente ahora. Las siguientes réplicas de Mario ponen de manifiesto las *otras* raíces del
conflicto.

MARIO. Antes de Encarna, ya has destrozado a otros... Seguro que lo has pensado.

VICENTE. ¿El qué?

MARIO. Que nuestro padre puede estar loco por tu culpa.

VICENTE. ¿Porque me fui de casa? ¡No me hagas reír!

MARIO. ¡Si no te ríes! *(Va a la mesa y recoge una postal.)* Toma. Ya es tarde para traerla. *(Vicente se inmuta. Encarna intenta atisbar la postal.)* Sí, Encarna: la misma que no quiso traer hace días, él sabrá por qué.

VICENTE. *(Le arrebata la postal.)* ¡No tienes derecho a pensar lo que piensas!

MARIO. ¡Vete! ¡Y no mandes más sobres!

VICENTE. *(Estalla.)* ¡Esto no puede quedar así!

MARIO. *(Con una risa violenta.)* ¡Eso, tú sabrás!

VICENTE. *(Manosea, nervioso la postal.)* ¡Esto no va a quedar así!

(Con el ceño fruncido se vuelve, traspone el pasillo y sale de la casa dando un tremendo portazo. Mario dedica una larga, tristísima mirada a Encarna, que se la devuelve con ansiedad inmensa. Luego se acerca al tragaluz y mira, absorto, la claridad exterior.)

ENCARNA. Mario... *(Él no responde. Ella se acerca unos pasos.)* Él quería que me callara y yo lo he dicho... *(Un silencio.)* Al principio creí que le quería... Y, sobre todo, tenía miedo... Tenía miedo, Mario. *(Baja la voz.)* También ahora lo tengo. *(Largo silencio.)* Ten piedad de mi miedo, Mario.

MARIO. *(Con la voz húmeda.)* ¡Pero tú ya no eres Encarna!...

(Ella parpadea, trémula. Al fin, comprende el sentido de esas palabras. Él las susurra para sí de nuevo, mientras deniega. Ella inclina la cabeza y se encamina al pasillo, desde donde se vuelve a mirarlo con los ojos arrasados. Después franquea el pasillo rápidamente y sale de la casa. La luz decrece. Ella y Él reaparecen por los laterales. Dos focos los iluminan. Él señala a Mario, que se ha quedado inmóvil.)

ÉL. Tal vez Mario pensó en aquel momento que es preferible no preguntar por nada ni por nadie.

ELLA. Que es mejor no saber.

ÉL. Sin embargo, siempre es mejor saber, aunque sea doloroso.

ELLA. Y aunque el saber nos lleve a nuevas ignorancias.

ÉL. Pues, en efecto: ¿quién es ése? Es la pregunta que seguimos haciéndonos.

ELLA. La pregunta invadió al fin el planeta en el siglo veintidós.

ÉL. Hemos aprendido de niños la causa: las mentiras y catástrofes de los siglos precedentes la impusieron como una pregunta ineludible.

ELLA. Quizá fueron numerosas, sin embargo, las personas que, en aquellos siglos atroces, guardaban ya en su corazón... ¿Se decía así?

ÉL. Igual que decimos ahora: en su corazón.

ELLA. Las personas que guardaban ya en su corazón la gran pregunta. Pero debieron de ser hombres oscuros, habitantes más o menos alucinados de semisótanos o de otros lugares parecidos.

(La luz se extingue sobre Mario, cuyo espectro se aleja lentamente.)

ÉL. Queremos recuperar la historia de esas catacumbas; preguntarnos también quiénes fueron ellos. [Y las historias de todos los demás: de los que nunca sintieron en su corazón la pregunta.]

ELLA. Nos sabemos ya solidarios, no sólo de quienes viven, sino del pasado entero. Inocentes con quienes lo fueron; culpables con quienes lo fueron.

ÉL. Durante siglos tuvimos que olvidar, para que el pasado no nos paralizase; ahora debemos recordar incensantemente para que el pasado no nos envene.

ELLA. Reasumir el pasado vuelve más lento nuestro avance, pero también más firme.

ÉL. Compadecer, uno por uno, a cuantos vivieron, es una tarea imposible, loca. Pero esa locura es nuestro orgullo.

ELLA. Condenados a seleccionar, nunca recuperaremos la totalidad de los tiempos y las vidas. Pero en esa tarea se esconde la respuesta a la gran pregunta, si es que la tiene.

ÉL. Quizá cada época tiene una, y quizá no hay ninguna. En el siglo diecinueve, un filósofo[21] aventuró cierta respuesta. Para la tosca lógica del siglo siguiente resultó absurda. Hoy volvemos a hacerla nuestra, pero ignoramos si es verdadera... ¿Quién es ése?

ELLA. Ese eres tú, y tú y tú. Yo soy tú, y tú eres yo. Todos hemos vivido, y viviremos, todas las vidas.

ÉL. Si todos hubiesen pensado al herir, al atropellar, al torturar, que eran ellos mismos quienes lo padecían, no lo habrían hecho... Pensémoslo así mientras la verdadera respuesta llega.

ELLA. Pensémoslo, por si no llega...

(Un silencio.)

ÉL. Veintiséis horas después de la escena que habéis presenciado, esta oscura historia se desenlaza en el aposento del tragaluz.[22]

(Señala al fondo, donde comienzan las vibraciones luminosas. Desaparecen los dos por los laterales. La luz se normaliza en el cuarto de estar. Mario y El padre vienen por el pasillo. El padre se detiene y escucha. Mario llega hasta su mesita y se sienta para hojear, abstraído, un libro.)

---

(21) La identificación de este filósofo no resulta fácil. La respuesta a la *pregunta* insondable, que los investigadores hacen suya provisionalmente, coincide con el pensamiento de varios autores, como Kierkegaard o Nietzsche o el propio Unamuno, al que, sin embargo, no parece probable que se aluda como «filósofo del siglo XIX». Iglesias Feijóo opina que se trata de Schopenhauer, con cuyo pensamiento encuentra en la producción de Buero muchos puntos de contacto.

(22) Tercera elipsis temporal, de 26 horas, señalada, como las anteriores, explícitamente por los investigadores. El transcurso del tiempo en la historia no parece desempeñar un papel dramático importante.

EL PADRE. ¿Quién habla por ahí fuera?

MARIO. Serán vecinos.

EL PADRE. Llevo días oyendo muchas voces. Llantos, risas...
Ahora lloran. *(Se acerca al tragaluz.)* Aquí tampoco es.

(Se acerca al pasillo.)

MARIO. Nadie llora.

EL PADRE. Es ahí fuera. ¿No oyes? Una niña y una mujer mayor.

MARIO. *(Seguro de lo que dice.)* La voz de la mujer mayor es
la de madre.

EL PADRE. ¡Ji, ji! ¿Hablas de esa señora que vive aquí?

MARIO. Sí.

EL PADRE. No sé quién es. La niña sí sé quién es. *(Irritado.)* ¡Y
no quiero que llore!

MARIO. ¡No llora, padre!

EL PADRE. *(Escucha.)* No. Ahora no. *(Se irrita de nuevo.)* ¿Y
quién era la que llamó antes? Era la misma voz. Y tú hablaste
con ella en la puerta.

MARIO. Fue una confusión. No venía aquí.

EL PADRE. Está ahí fuera. La oigo.

MARIO. ¡Se equivoca!

EL PADRE. *(Lento.)* Tiene que entrar.

*(Se miran. El padre va a sentarse y se absorbe en una revista.
Una pausa. Se oye el ruido de la llave. La madre entra y cierra.
Llega al cuarto de estar.)*

LA MADRE. *(Mira a hurtadillas a su hijo.)* Sal un rato si quieres, hijo.

MARIO. No tengo ganas.

LA MADRE. *(Con ansiedad.)* No has salido en todo el día...

MARIO. No quiero salir.

LA MADRE. *(Titubea. Se acerca y baja la voz.)* Hay alguien es-
perándote en la escalera.

MARIO. Ya lo sé.

LA MADRE. Se ha sentado en los peldaños... [A los vecinos les
va a entrar curiosidad...]

MARIO. Ya le he dicho [a ella] que se vaya.

LA MADRE. ¡Déjala entrar!

MARIO. No.

LA MADRE. ¡Y os explicabais!

MARIO. *(Se levanta y pasea.)* ¡Por favor, madre! Esto no es una riña de novios. Tú no puedes comprender.

(Un silencio.)

LA MADRE. Hace una hora me encontré a esa chica en la escalera y me la llevé a dar una vuelta. Me lo ha contado todo. [Entonces yo le he dicho que volviera conmigo y que yo te pediría que la dejases entrar.] *(Un silencio.)* ¡Es una vergüenza, Mario! Los vecinos murmurarán... No la escuches, si no quieres, pero déjala pasar. *(Mario la mira, colérico, y va rápido a su cuarto para encerrarse. La voz de La madre lo detiene.)* No quieres porque crees que no me lo ha contado todo. También me ha confesado que ha tenido que ver con tu hermano.

(Estupefacto, Mario cierra con un seco golpe la puerta que abrió.)

MARIO. *(Se acerca a su madre.)* Y después de saber eso, ¿qué pretendes? ¿Que me case con ella?

LA MADRE. *(Débil.)* Es una buena chica.

MARIO. ¿No es a mi hermano a quien se lo tendrías que proponer?

LA MADRE. Él... ya sabes cómo es...

MARIO. ¡Yo sí lo sé! ¿Y tú, madre? ¿Sabes cómo es tu favorito?

LA MADRE. ¡No es mi favorito!

MARIO. También le disculparás lo de Encarna, claro. Al fin y al cabo, una ligereza de hombre, ¿no? ¡Vamos a olvidarlo, como otras cosas! ¡Es tan bueno! ¡Nos va a comprar una nevera! ¡Y, en el fondo, no es más que un niño! ¡Todavía se relame con las ensaimadas!

LA MADPE. No hables así.

MARIO. ¡No es mala chica Encarna, no! ¡Y además, se comprende su flaqueza! ¡El demonio de Vicente es tan simpático! Pero no es mujer para él; él merece otra cosa. ¡Mario, sí! ¡Mario puede cargar con ella!

LA MADRE. Yo sólo quiero que cada uno de vosotros viva lo más feliz que pueda...

MARIO. ¿Y me propones a Encarna para eso?

LA MADRE. ¡Te propongo lo mejor...!

MARIO. ¿Porque él no la quiere?

LA MADRE. *(Enérgica.)* ¡Porque ella te quiere! *(Se acerca.)* Es tu hermano el que pierde, no tú. Allá él... No quiero juzgarlo... Tiene otras cualidades... Es mi hijo. *(Le toma de un brazo.)* Esa chica es de oro puro, te lo digo yo. Por eso te confesó ayer sus relaciones con Vicente.

MARIO. ¡No hay tal oro, madre! Le fallaron los nervios, simplemente. ¡Y no quiero hablar más de esto! *(Se desprende. Suena el timbre de la puerta. Se miran. La madre va a abrir.)* ¡Te prohibo que la dejes entrar!

LA MADRE. Si tú no quieres, no entrará.

MARIO. ¡Entonces, no abras!

LA MADRE. Puede ser el señor Anselmo, o su mujer...

EL PADRE. *(Se ha levantado y se inclina.)* La saludo respetuosamente, señora.

LA MADRE. *(Se inclina, suspirando.)* Buenas tardes, señor.

EL PADRE. Por favor, haga entrar a la niña.

La madre y el hijo se miran. Nuevo timbrazo. La madre va a la puerta. El padre mira hacia el pasillo.)

MARIO. ¿A qué niña, padre?

EL PADRE. *(Su identidad le parece evidente.)* A la niña.

(La madre abre. Entra Vicente.)

VICENTE. Hola, madre. *(La besa.)* Pregúntale a Mario si puede entrar Encarna.

MARIO. *(Se ha asomado al oír a su hermano.)* ¿A qué vienes?

VICENTE. Ocupémonos antes de esa chica. [No pensarás dejarla ahí toda la tarde...]

MARIO. ¿También tú temes que murmuren?

VICENTE. *(Con calma.)* Déjala pasar.

MARIO. ¡Cierra la puerta, madre!

(La madre vacila y al fin cierra. Vicente avanza, seguido de su madre.)

EL PADRE. *(Se sienta y vuelve a su revista.)* No es la niña.

VICENTE. *(Sonriente y tranquilo.)* Allá tú. De todos modos voy a decirte algo. Admito que no me he portado bien con esa muchacha... *(A su madre.)* Tú no sabes de qué hablamos, madre. Ya te lo explicaré.

MARIO. Lo sabe.

VICENTE. ¿Se lo has dicho? Mejor. Sí madre: una ligereza que procuraré remediar. Quería decirte, Mario, que hice mal despidiéndola y que la he readmitido.

MARIO. ¿Qué?

VICENTE. *(Risueño, va a sentarse al sofá.)* Se lo dije esta mañana, cuando fue a recoger su sobre.

MARIO. ¿Y... se quedó?

VICENTE. [No quería, pero yo tampoco quise escuchar negativas.] Había que escribir la carta a Beltrán y me importaba que ella misma la llevase al correo. Y así lo hicimos. *(Mario lo mira con ojos duros y va bruscamente a su mesita para tomar un pitillo.)* Te seré sincero: no es seguro que vuelva mañana. Dijo que... lo pensaría. ¿Por qué no la convences tú? No hay que hacer un drama de pequeñeces como éstas...

LA MADRE. Claro, hijos...

VICENTE. *(Ríe y se levanta.)* ¡Se me olvidaba! *(Saca de su bolsillo algunas postales.)* Más postales para usted, padre. Mire qué bonitas.

EL PADRE. *(Las toma.)* ¡Ah! Muy bien... Muy bien.

MARIO. ¡Muy bien! Vicente remedia lo que puede, adora a su familia, mamá le sonríe, papá le da las gracias y, si hay suerte, Encarna volverá a ser complaciente... La vida es bella.

VICENTE. *(Suave.)* Por favor...
MARIO. *(Frío.)* ¿A qué has venido?
VICENTE. *(Serio.)* A aclarar las cosas.
MARIO. ¿Qué cosas?
VICENTE. Ayer dijiste algo que no puedo admitir. Y no quiero que vuelvas a decirlo.
MARIO. No voy a decirlo.

(Enciende con calma su cigarrillo.)

VICENTE. ¡Pero lo piensas! Y te voy a convencer de que te equivocas.

(Inquieta y sin dejar de observarlos, La madre se sienta en un rincón.)

MARIO. Bajar aquí es peligroso para ti... ¿O no lo sabes?
VICENTE. No temo nada. Tenemos que hablar y lo vamos a hacer.
LA MADRE. Hoy no, hijos... Otro día, más tranquilos...
VICENTE. ¿Es que no sabes lo que dice?
LA MADRE. Otro día...
VICENTE. Se ha atrevido a afirmar que cierta persona... aquí presente... ha enloquecido por mi culpa.

(Pasea.)

LA MADRE. Son cosas de la vejez, Mario...
VICENTE. ¡Quiá, madre! Eso es lo que piensas tú, o cualquiera con la cabeza en su sitio. Él piensa otra cosa.
MARIO. ¿Y has venido a prohibírmelo?
VICENTE. ¡A que hablemos!
LA MADRE. Pero no hoy... Ahora estáis disgustados...
VICENTE. Hoy, madre.
MARIO. Ya lo oyes, madre. Déjanos solos, por favor.
VICENTE. ¡De ninguna manera! Su palabra vale tanto como la tuya. ¡Quieres que se vaya para que no te desmienta!

MARIO. Tú quieres que se quede para que te apoye.

VICENTE. Y para que no se le quede dentro ese infundio² que te has inventado.

MARIO. ¿Infundio? *(Se acerca a su padre.)* ¿Qué diría usted, padre?

(El padre lo mira, inexpresivamente. Luego empieza a recortar un muñeco.)

VICENTE. ¡Él no puede decir nada! ¡Habla tú! ¡Explícanos ya, si puedes, toda esa locura tuya!

MARIO. *(Se vuelve y lo mira gravemente.)* Madre, si esa muchacha está todavía ahí fuera, dile que entre.

LA MADRE. *(Se levanta, sorprendida.)* ¿Ahora?

MARIO. Ahora, sí.

LA MADRE. ¡Tu hermano va a tener razón! ¿Estás loco?

VICENTE. No importa, madre. Que entre.

LA MADRE. ¡No!

MARIO. ¡Hazla entrar! Es otro testigo.[23]

LA MADRE. ¿De qué?

(Bruscamente, Vicente sale al pasillo y abre la puerta. La madre se oprime las manos, angustiada.)

VICENTE. Entra, Encarna. Mario te llama.

(Se aparta y cierra la puerta tras Encarna, que entra. Llegan los dos al cuarto de estar. El padre mira a Encarna con tenaz interés.)

---

² *infundio:* mentira tendenciosa.

(23) El drama alcanza su clímax en la escena que ahora se inicia y que va a desarrollarse como un juicio en el que la verdad trágica quedará al descubierto. En realidad toda la obra responde a la estructura del «drama judicial». El término «testigo» anuncia este sentido, que confirma el diálogo siguiente.

ENCARNA. *(Con los ojos bajos.)* Gracias, Mario.

MARIO. No has entrado para hablar conmigo, sino para escuchar. Siéntate y escucha.

(Turbada por la dureza de su tono, Encarna va a sentarse en un rincón, pero la detiene la voz del padre.)

EL PADRE. Aquí, a mi lado... Te estoy recortando una muñeca...

LA MADRE. *(Solloza.)* ¡Dios mío!

(Encarna titubea.)

MARIO. Ya que no quieres irte, siéntate, madre.

(La conduce a una silla.)

LA MADRE. ¿Por qué esto, hijo?...

MARIO. *(Por su hermano.)* Él lo quiere.

EL PADRE. *(A Encarna.)* Mira qué bonita...

(Encarna se sienta junto al padre, que sigue recortando. Vicente se sienta en la silla de la mesita.)

LA MADRE. *(Inquieta.)* ¿No deberíamos llevar a tu padre a su cuarto?

MARIO. ¿Quiere usted irse a su cuarto, padre? ¿Le llevo sus revistas, sus muñecos?

EL PADRE. No puedo.

MARIO. Estaría usted más tranquilo allí...

EL PADRE. *(Enfadado.)* ¡Estoy trabajando! *(Sonríe a Encarna y le da palmaditas en una mano.)* Ya verás.

VICENTE. *(Sarcástico.)* ¡Cuánta solemnidad!

MARIO. *(Lo mira y acaricia la cabeza de su madre.)* Madre, perdónanos el dolor que vamos a causarte.

LA MADRE. *(Baja la cabeza.)* Pareces un juez.

MARIO. Soy un juez. Porque el verdadero juez no puede juzgar. Aunque, ¿quién sabe? ¿Puede usted juzgar, padre?...

(El padre le envía una extraña mirada. Luego vuelve a su recorte.)

VICENTE. Madre lo hará por él, y por ti. Tú no eras más que un niño.

MARIO. Ya hablaremos de aquellos. Mira antes a tus víctimas más recientes. Todas están aquí.

VICENTE. ¡Qué lenguaje! No me hagas reír.

MARIO. *(Imperturbable.)* Puedes mirar también a tus espaldas. Una de ellas sólo está en efigie. Pero lo han retratado escribiendo y parece por eso que también él te mira ahora. *(Vicente vuelve la cabeza para mirar los recortes y fotos clavados en la pared.)* Sí: es Eugenio Beltrán.

VICENTE. ¡No he venido a hablar de él!

EL PADRE. *(Entrega a Encarna el muñeco recortado.)* Toma. ¿Verdad que es bonito?

ENCARNA. Gracias.

(Lo toma y empieza a arrugarlo, nerviosa. El padre busca otra lámina en la revista.)

VICENTE. ¡Sabes de sobra lo que he venido a discutir!

EL PADRE. *(A Encarna, que, cada vez más nerviosa, manosea y arruga el muñeco de papel.)* ¡Ten cuidado, puedes romperlo! *(Efectivamente, las manos de Encarna rasgan, convulsas, el papel.)* ¿Lo ves?

ENCARNA. *(Con dificultad.)* Me parece inútil seguir callando... No quiero ocultarlo más... Voy a tener un hijo.

(La madre gime y oculta la cabeza entre las manos. Vicente se levanta lentamente.)

EL PADRE. ¿He oído bien? ¿Vas a ser madre? ¡Claro, has crecido tanto![24] *(Encarna rompe a llorar.)* ¡No llores, nena! ¡Tener

---

(24) Es preciso recordar que El padre confunde a Encarna con Elvirita para entender esta réplica. Dentro de su desatino la confusión no es arbitraria: ambas son las principales víctimas —en el pasado y en el presente— de Vicente.

un hijo es lo más bonito del mundo! *(Busca, febril, en la re-*
vista.) Será como un niño muy lindo que hay aquí. Verás.

(Pasa hojas.)

MARIO. *(Suave, a su hermano.)* ¿No tienes nada que decir?

(Desconcertado, Vicente se pasa la mano por la cara.)

EL PADRE. *(Encontró la lámina.)* ¡Mira qué hermoso! ¿Te gusta?
ENCARNA. *(Llorando.)* Sí.
EL PADRE. *(Empuña las tijeras.)* Ten cuidado con éste, ¿eh? Éste
no lo rompas.

(Comienza a recortar.)

ENCARNA. *(Llorando.)* ¡No!...
VICENTE. Estudiaremos la mejor solución, Encarna. Lo recono-
ceré... Te ayudaré.
MARIO. *(Suave.)* ¿Con un sobre?
VICENTE. *(Grita.)* ¡No es asunto tuyo!
LA MADRE. ¡Tienes que casarte con ella, Vicente!
ENCARNA. No quiero casarme con él.
LA MADRE. ¡Debéis hacerlo!
ENCARNA. ¡No! No quiero. Nunca lo haré.
MARIO. *(A Vicente.)* Por consiguiente no hay que pensar en esa
solución. Pero no te preocupes. Puede que ella enloquezca y
viva feliz..., como la persona que tiene al lado.
VICENTE. ¡Yo estudiaré con ella lo que convenga hacer! Pero
no ahora. Es precisamente de nuestro padre de quien he ve-
nido a hablar.

(El padre se ha detenido y lo mira.)

MARIO. Repara... Él también te mira.
VICENTE. ¡Esa mirada está vacía! ¿Por qué no te has dedicado
a mirar más a nuestra madre, en vez de observarle a él? ¡Mí-

rala! Siempre ha sido una mujer expansiva, animosa. No tiene nieblas en la cabeza, como tú.

MARIO. ¡Pobre madre! ¿Cómo hubiera podido resistir sin inventarse esa alegría?

VICENTE. *(Ríe.)* ¿Lo oyes, madre? Te acusa de fingir.

MARIO. No finge. Se engaña de buena fe.

VICENTE. ¡Y a ti te engaña la mala fe! Nuestro padre está como está porque es un anciano, y nada más.

(Se sienta y enciende un cigarrillo.)

MARIO. El médico ha dicho otra cosa.

VICENTE. ¡Ya! ¡El famoso trastorno moral!

MARIO. Madre también lo oyó.

VICENTE. Y supongo que también oyó tu explicación. El viejo levantándose una noche, hace muchos años, y profiriendo disparates por el pasillo..., casualmente poco después de haberme ido yo de casa.

MARIO. Buena memoria.

VICENTE. Pero no lo oyó nadie, sólo tú...

MARIO. ¿Me acusas de haberlo inventado?

VICENTE. O soñado. Una cabeza como la tuya no es de fiar. Pero, aunque fuera cierto, no demostraría nada. [Quizá fui algo egoísta cuando me marché de aquí, y también he procurado repararlo. ¡Pero] nadie se vuelve loco porque un hijo se va de casa, a no ser que haya una predisposición a trastornarse por cualquier minucia! Y eso me exime de toda culpa.

MARIO. Salvo que seas tú mismo quien, con anterioridad, creases esa predisposición.

EL PADRE. *(Entrega el recorte a Encarna.)* Toma. Éste es su retrato.

ENCARNA. *(Lo toma.)* Gracias.

VICENTE. *(Con premeditada lentitud.)* ¿Te estás refiriendo al tren?

(La madre se sobresalta.)

MARIO. *(Pendiente de su padre.)* Calla.

EL PADRE. ¿Te gusta?

ENCARNA. Sí, señor.

EL PADRE. ¿Señor? Aquí todos me llaman padre... *(Le oprime con afecto una mano.)* Cuídalo mucho y vivirá.

(Toma otra revista y se absorbe en su contemplación.)

VICENTE. *(A media voz.)* Te has referido al tren. Y a hablar de él he venido.

(El padre lo mira un momento y vuelve a mirar su revista.)

LA MADRE. ¡No, hijos!

VICENTE. ¿Por qué no?

LA MADRE. Hay que olvidar aquello.

VICENTE. Comprendo que es un recuerdo doloroso para ti..., por la pobre nena. ¡Pero yo también soy tu hijo y estoy en entredicho! ¡Dile tú lo que pasó, madre! *(A Mario, señalando al Padre.)* ¡Él nos mandó subir a toda costa! Y yo lo logré. Y luego, cuando arrancó la máquina y os vi en el andén, ya no pude bajar. Me retuvieron. ¿No fue así, madre?

LA MADRE. Sí, hijo.

(Rehúye su mirada.)

VICENTE. *(A Mario.)* ¿Lo oyes? ¡Subí porque él me lo mandó!

MARIO. *(Rememora.)* No dijo una palabra en todo el resto del día. ¿Te acuerdas, madre? Y luego, por la noche... *(A Vicente.)* Esto no lo sabes aún, pero ella también lo recordará, porque entonces sí se despertó... Aquella noche se levantó de pronto y la emprendió a bastonazos con las paredes..., hasta que rompió el bastón: aquella cañita antigua que él usaba. Nuestra madre espantada, la nena llorando, y yo escuchándole una sola palabra mientras golpeaba y golpeaba las paredes de la sala de espera de la estación, donde nos habíamos metido a pasar la noche... *(El padre atiende.)* Una sola palabra, que repetía y repetía: ¡Bribón!... ¡Bribón!...

LA MADRE. *(Grita.)* ¡Cállate!

[EL PADRE. *(Casi al tiempo, señala a la cómoda.)* ¿Pasa algo en la sala de espera?

MARIO. Nada, padre. Todos duermen tranquilos.]

VICENTE. ¿Por qué supones que se refería a mí?

MARIO. ¿A quién, si no?

VICENTE. Pudieron ser los primeros síntomas de su desequilibrio.

MARIO. Desde luego. Porque él no era un hombre al uso. Él era de la madera de los que nunca se reponen de la deslealtad ajena.

VICENTE. ¿Estás sordo? ¡Te digo que él me mandó subir!

LA MADRE. ¡Nos mandó subir a todos, Mario!

MARIO. Y bajar. «¡Baja! ¡Baja!», te decía lleno de ira, desde el andén... Pero el tren arrancó... y se te llevó para siempre. Porque ya nunca has bajado de él.

VICENTE. ¡Lo intenté y no pude! Yo había escalado la ventanilla de un retrete. Cinco más iban allí dentro. Ni nos podíamos mover.

MARIO. Te retenían.

VICENTE. Estábamos tan apretados... Era más difícil bajar que subir. Me sujetaron, para que no me quebrara un hueso.

MARIO. *(Después de un momento.)* ¿Y qué era lo que tú sujetabas?

VICENTE. *(Después de un momento.)* ¿Cómo?

MARIO. ¿Se te ha olvidado lo que llevabas?

VICENTE. *(Turbado.)* ¿Lo que llevaba?

MARIO. Colgado al cuello. ¿O no lo recuerdas? *(Un silencio. Vicente no sabe qué decir.)* Un saquito. Nuestras escasas provisiones y unos pocos botes de leche para la nena. Él te lo había confiado porque eras el más fuerte... La nena murió unos días después. De hambre. *(La madre llora en silencio.)* Nunca más habló él de aquello. Nunca. Prefirió enloquecer.

(Un silencio.)

VICENTE. *(Débil.)* Fue... una fatalidad... En aquel momento, ni pensaba en el saquito...

LA MADRE. *(Muy débil.)* Y no pudo bajar, Mario. Lo sujetaban...

(Largo silencio. Al fin, Mario habla, muy tranquilo.)

MARIO. No lo sujetaban; lo empujaban.
VICENTE. *(Se levanta, rojo.)* ¡Me sujetaban!
MARIO. ¡Te empujaban!
VICENTE. ¡Lo recuerdas mal! ¡Sólo tenías diez años!
MARIO. Si no podías bajar, ¿por qué no nos tiraste el saco?
VICENTE. ¡Te digo que no se me ocurrió! ¡Forcejeaba con ellos!
MARIO. *(Fuerte.)* ¡Sí, pero para quedarte! Durante muchos años he querido convencerme de que recordaba mal; he querido creer en esa versión que toda la familia dio por buena. Pero era imposible, porque siempre te veía en la ventanilla, pasando ante mis ojos atónitos de niño, fingiendo que intentabas bajar y resistiendo los empellones que te daban entre risas aquellos soldadotes... ¿Cómo no ibas a poder bajar? ¡Tus compañeros de retrete no deseaban otra cosa! ¡Les estorbabas! *(Breve silencio.)* Y nosotros también te estorbábamos. La guerra había sido atroz para todos, el futuro era incierto y, de pronto, comprendiste que el saco era tu primer botín. No te culpo del todo; sólo eras un muchacho hambriento y asustado. Nos tocó crecer en años difíciles... ¡Pero ahora, hombre ya, sí eres culpable! Has hecho pocas víctimas, desde luego; hay innumerables canallas que las han hecho por miles, por millones. ¡Pero tú eres como ellos! Dale tiempo al tiempo y verás crecer el número de las tuyas... Y tu botín. *(Vicente, que mostró, de tanto en tanto, tímidos deseos de contestar, se ha ido apagando. Ahora mira a todos con los ojos de una triste alimaña acorralada. La madre desvía la vista. Vicente inclina la cabeza y se sienta, sombrío. Mario se acerca a él y le habla quedo.)* También aquel niño que te vio en la ventanilla del tren es tu víctima. Aquel niño sensible, a quien su hermano mayor enseñó, de pronto, cómo era el mundo.
EL PADRE. *(A Encarna, con una postal en la mano.)* ¿Quién es éste, muchacha?

ENCARNA. *(Muy quedo.)* No sé.
EL PADRE. ¡Je! Yo, sí. Yo sí lo sé.

(Toma la lupa y mira la postal con mucho interés.)

VICENTE. *(Sin mirar a nadie.)* Dejadme solo con él.
MARIO. *(Muy quedo.)* Ya, ¿para qué?
VICENTE. ¡Por favor!

(Lo mira con ojos extraviados.)

MARIO. *(Lo considera un momento.)* Vamos a tu cuarto, madre. Ven, Encarna.

(Ayuda a su madre a levantarse. Encarna se levanta y se dirige al pasillo.)

LA MADRE. *(Se vuelve hacia Vicente antes de salir.)* ¡Hijo!...

(Mario la conduce. Encarna va tras ellos. Entran los tres en el dormitorio y cierran la puerta. Una pausa. El padre sigue mirando su postal. Vicente lo mira y se levanta. Despacio, va a su lado y se sienta junto a la mesa, de perfil al padre, para no verle la cara.)

VICENTE. Es cierto, padre. Me empujaban. Y yo no quise bajar. Les abandoné, y la niña murió por mi culpa. Yo también era un niño y la vida humana no valía nada entonces... En la guerra habían muerto cientos de miles de personas... Y muchos niños y niñas también..., de hambre o por las bombas... Cuando me enteré de su muerte pensé: un niño más. Una niña que ni siquiera había empezado a vivir... *(Saca lentamente del bolsillo el monigote de papel que su padre le dio días atrás.)* Apenas era más que este muñeco que me dio usted... *(Lo muestra con triste sonrisa.)* Sí. Pensé esa ignominia para tranquilizarme. Quisiera que me entendiese, aunque sé que no me entiende. Le hablo como quien habla a Dios sin creer en Dios,

porque quisiera que Él estuviese ahí... *(El padre deja lentamente de mirar la postal y empieza a mirarlo, muy atento.)*
Pero no está, y nadie es castigado, y la vida sigue. Míreme:
estoy llorando. Dentro de un momento me iré, con la pequeña ilusión de que me ha escuchado, a seguir haciendo víctimas... De vez en cuando pensaré que hice cuanto pude confe-
sándome a usted y que ya no había remedio, puesto que usted
no entiende... El otro loco, mi hermano, me diría: hay remedio. Pero ¿quién puede terminar con las canalladas en un
mundo canalla?

> *(Manosea el arrugado muñeco que sacó.)*

EL PADRE. Yo.
VICENTE. *(Lo mira.)* ¿Qué dice? *(Se miran. Vicente desvía la vista.)* Nada. ¿Qué va a decir? Y, sin embargo, quisiera que me
entendiese y me castigase, como cuando era un niño, para poder perdonarme luego... Pero ¿quién puede ya perdonar, ni
castigar? Yo no creo en nada y usted está loco. *(Suspira.)* Le
aseguro que estoy cansado de ser hombre. Esta vida de temo-
res y de mala fe fatiga mortalmente. Pero no se puede volver
a la niñez.
EL PADRE. No.

*(Se oyen golpecitos en los cristales. El padre mira al tragaluz
con repetina ansiedad. El hijo mira también, turbado.)*

VICENTE. ¿Quién llamó? *(Breve silencio.)* Niños. Siempre hay
un niño que llama. *(Suspira.)* Ahora hay que volver ahí arriba... y seguir pisoteando a los demás. Tenga. Se lo devuelvo.

> *(Le entrega el muñeco de papel.)*

EL PADRE. No. *(Con energía.)* ¡No!
VICENTE. ¿Qué?
EL PADRE. No subas al tren.
VICENTE. Ya lo hice, padre.
EL PADRE. Tú no subirás al tren.

(Comienza a oírse, muy lejano, el ruido del tren.)

VICENTE. *(Lo mira.)* ¿Por qué me mira así, padre? ¿Es que me reconoce? *(Terrible y extraviada, la mirada del padre no se aparta de él. Vicente sonríe con tristeza.)* No. Y tampoco entiende... *(Aparta la vista; hay angustia en su voz.)* ¡Elvirita murió por mi culpa, padre! ¡Por mi culpa! Pero ni siquiera sabe usted ya quién fue Elvirita. *(El ruido del tren, que fue ganando intensidad, es ahora muy fuerte. Vicente menea la cabeza con pesar.)* Elvirita... Ella bajó a tierra. Yo subí... Y ahora habré de volver a ese tren que nunca para...

(Apenas se le oyen las últimas palabras, ahogadas por el espantoso fragor del tren. Sin que se entienda nada de lo que dice, continúa hablando bajo el ruido insoportable. El padre se está levantando.)

EL PADRE. ¡No!... ¡No!...

(Tampoco se oyen sus crispadas negaciones. En pie y tras su hijo, que sigue profiriendo palabras inaudibles, empuña las tijeras. Sus labios y su cabeza dibujan de nuevo una colérica negativa cuando descarga, con inmensa furia, el primer golpe, y vuelven a negar al segundo, al tercero... Apenas se oye el alarido del hijo a la primera puñalada, pero sus ojos y su boca se abren horriblemente. Sobre el ruido tremendo se escucha, al fin, más fuerte, a la tercera o cuarta puñalada, su última imploración.)

VICENTE. ¡Padre!...

(Dos o tres golpes más, obsesivamente asestados por el anciano entre lastimeras negativas, caen ya sobre un cuerpo inanimado, que se inclina hacia delante y se desploma en el suelo. El padre lo mira con ojos inexpresivos, suelta las tijeras y va al tragaluz, que abre para mirar afuera. Nadie pasa. El ruido del tren, que está disminuyendo, todavía impide oír la llamada que dibujan sus labios.)

EL PADRE. ¡Elvirita!...

(La luz se extingue paulatinamente. El ruido del tren se aleja y apaga al mismo tiempo. Oscuridad total en la escena. Silencio absoluto. Un foco ilumina a los investigadores.)

ELLA. El mundo estaba lleno de injusticia, guerras y miedo. Los activos olvidaban la contemplación; quienes contemplaban no sabían actuar.

ÉL. Hoy ya no caemos en aquellos errores. Un ojo implacable nos mira, y es nuestro propio ojo. El presente nos vigila; el porvenir nos conocerá, como nosotros a quienes nos precedieron.

ELLA. Debemos, pues, continuar la tarea imposible: rescatar de la noche, árbol por árbol y rama por rama, el bosque infinito de nuestros hermanos. Es un esfuerzo interminable y melancólico: nada sabemos ya, por ejemplo, del escritor aquél a quien estos fantasmas han citado reiteradamente. Pero nuestro próximo experimento no lo buscará; antes exploraremos la historia de aquella mujer que, sin decir palabra, ha cruzado algunas veces ante vosotros.

ÉL. El Consejo promueve estos recuerdos para ayudarnos a afrontar nuestros últimos enigmas.

ELLA. El tiempo... La pregunta...

ÉL. Si no os habéis sentido en algún instante verdaderos seres del siglo veinte, pero observados y juzgados por una especie de conciencia futura; si no os habéis sentido en algún otro momento como seres de un futuro hecho ya presente que juzgan, con rigor y piedad, a gentes muy antiguas y acaso iguales a vosotros, el experimento ha fracasado.

ELLA. Esperar, sin embargo, a que termine. Sólo resta una escena. Sucedió once días después. Hela aquí.[25]

_____

(25) La intervención de los investigadores sirve de contrapunto reflexivo a la patética escena anterior. Alivia la fuerte tensión emocional acumulada. Junto a esta función propiamente «distanciadora», el diálogo entre Él y Ella explica algunas claves significativas: la necesidad de unir

*(Señala al lateral izquierdo, donde crecen las vibraciones lumi-
nosas, y desaparece con su compañero. El lateral derecho comienza a iluminarse también. Sentados al velador del café, Encarna y Mario miran al vacío.)*

ENCARNA. ¿Has visto a tu padre?

MARIO. Ahora está tranquilo. Le llevé revistas, pero no le permiten usar tijeras. Empezó a recortar un muñeco... con los dedos. *(Encarna suspira.)* ¿Quién es mi padre, Encarna?

ENCARNA. No te comprendo.

MARIO. ¿Es alguien?

ENCARNA. ¡No hables así!

MARIO. ¿Y nosotros? ¿Somos alguien?

ENCARNA. Quizá no somos nada.

(Un silencio.)

MARIO. ¡Yo lo maté!

ENCARNA. *(Se sobresalta.)* ¿A quién?

MARIO. A mi hermano.

ENCARNA. ¡No, Mario!

MARIO. Lo fui atrayendo... hasta que cayó en el precipicio.

ENCARNA. ¿Qué precipicio?

MARIO. Acuérdate del sueño que te conté aquí mismo.

ENCARNA. Sólo un sueño, Mario... Tú eres bueno.

MARIO. Yo no soy bueno; mi hermano no era malo. Por eso volvió. A su modo, quiso pagar.

ENCARNA. Entonces, no lo hiciste tú.

MARIO. Yo le incité a volver. ¡Me creía pasivo, y estaba actuando tremendamente!

~~~~~~

contemplación y acción, la importancia del «caso singular», el sentido
teatral del experimento (como forma de participación del público). Termina señalando el salto de tiempo (once días) entre el trágico desenlace
de la historia y la escena siguiente, verdadero epílogo fuera de la acción
dramática.

ENCARNA. Él quería seguir engañándose... Acuérdate. Y tú querías salvarlo.

MARIO. Él quería engañarse... y ver claro; yo quería salvarlo... y matarlo. ¿Qué queríamos en realidad? ¿Qué quería yo? ¿Cómo soy? ¿Quién soy? ¿Quién ha sido víctima de quién? Ya nunca lo sabré... Nunca.

ENCARNA. No lo pienses.

MARIO. *(La mira y baja la voz.)* ¿Y qué hemos hecho los dos contigo?

ENCARNA. ¡Calla!

MARIO. ¿No te hemos usado los dos para herirnos con más violencia?

(Un silencio.)

ENCARNA. *(Con los ojos bajos.)* ¿Por qué me has llamado?

MARIO. *(Frío.)* Quería saber de ti. ¿Continúas en la Editora?

ENCARNA. Me han echado.

MARIO. ¿Qué piensas hacer?

ENCARNA. No lo sé. *(La prostituta entra por la derecha. Con leve y aburrido contoneo profesional, se recuesta un momento en la pared. Encarna la ve y se inmuta. Bruscamente se levanta y toma su bolso.)* Adiós, Mario.

(Se encamina a la derecha.)

MARIO. Espera.

(Encarna se detiene. Él se levanta y llega a su lado. La esquinera los mira con disimulada curiosidad y, al ver que no hablan, cruza ante ellos y sale despacio por la izquierda. El cuarto de estar se va iluminando; vestida de luto, La madre entra en él y acaricia, con una tristeza definitiva, el sillón de su marido.)

ENCARNA. *(Sin mirar a Mario.)* No juegues conmigo.

MARIO. No jugaré contigo. No haré una sola víctima más, si puedo evitarlo. Si todavía me quieres un poco, acéptame.

ENCARNA. *(Se aparta unos pasos, trémula.)* Voy a tener un hijo.

MARIO. Será nuestro hijo. *(Ella tiembla sin atreverse a mirarlo. Él deniega tristemente, mientras se acerca.)* No lo hago por piedad. Eres tú quien debe apiadarse de mí.

ENCARNA. *(Se vuelve y lo mira.)* ¿Yo, de ti?

MARIO. Tú de mí, sí. Toda la vida.

ENCARNA. *(Vacila y, al fin, dice sordamente, con dulzura.)* ¡Toda la vida!

(La madre se fue acercando al invisible tragaluz. Con los ojos llenos de recuerdos, lo abre y se queda mirando a la gente que cruza. La reja se dibuja sobre la pared; sombras de hombres y mujeres pasan; el vago rumor callejero inunda la escena. La mano de Encarna busca, tímida, la de Mario. Ambos miran al frente.)

MARIO. Quizá ellos algún día, Encarna... Ellos sí, algún día... Ellos...[26]

(Sobre la pared del cuarto de estar las sombras pasan cada vez más lentas; finalmente, tanto La madre, Mario y Encarna, como las sombras, se quedan inmóviles. La luz se fue extinguiendo; sólo el rectángulo del tragaluz permanece iluminado. Cuando empieza a apagarse a su vez, Él y Ella reaparecen por los laterales.)

ÉL. Esto es todo.

ELLA. Muchas gracias.

Telón

(26) Estas palabras, que condensan el mensaje esperanzado de la obra, han suscitado diferentes interpretaciones, todas ellas válidas. Con «ellos» puede aludir Mario a la generación del hijo de Encarna, a las gentes que pasan por la calle, a los investigadores del futuro, a los espectadores (dramáticos) del siglo XXX; pero también (o sobre todo) a los espectadores reales del siglo XX. Durante esta réplica Mario y Encarna, en primer término, «miran al frente». Y La madre es el último personaje que se queda, de frente, mirando, a través del tragaluz, al público, a nosotros.

Documentos y juicios críticos

I. En torno al teatro de Buero

La polémica sobre el «posibilismo»

Aludíamos en la Introducción *al «posibilismo» que Buero Vallejo defiende y practica en su trayectoria teatral. Ofrecemos dos textos que forman parte de la polémica suscitada en torno a este concepto. En el primero, Alfonso Sastre critica la actitud posibilista. El segundo es un fragmento de la respuesta de Buero.*

1.   El concepto de «imposibilismo» —y en consecuencia su opuesto— no es válido. No hay un teatro «imposible», en la medida en que no existen criterios de certeza de su imposibilidad: el aparato de control es contradictorio y su acción es imprevisible; además las empresas están evolucionando y hoy es normal que estrenen lo que hace unos años rechazaban. Hay, eso sí, un teatro momentáneamente «imposibilitado». Todo teatro debe ser considerado posible hasta que sea imposibilitado; y toda «imposibilitación» debe ser acogida por nosotros como una sorpresa. De ningún modo podemos contar para nuestro trabajo con ese interlocutor, y de un modo especial por dos razones: porque contar con él significa aceptarlo, normalizar su existencia, y porque ese interlocutor es fantasmagórico, invertebrado. Aun aceptando que el proceso teatral está condicionado por *muchas* circunstancias, sobre todo de índole económica, y que es preciso considerar estos supuestos y contar con ellos, digo que no podemos —aparte de que debamos o no— contar con *ese* factor por la sencilla razón de que es un factor sin estructura (lo que puede conducir a sacrificios inútiles: contábamos con que ahí había una barrera y *no había nada*, etc.).

Si la tuviera, sí deberíamos contar con él, aunque no para acomodarnos a sus intersticios en nuestro intento de penetración social. Es posible recordar que el progreso no se consigue por acomodación, sino dialécticamente, por contradicción, por oposición de los contrarios.

A. Sastre: «Teatro imposible y pacto social», *Primer Acto*, núm. 14, 1960, p. 2.

2.   Un escritor que decide escribir con absoluta libertad interior es un concepto abstracto y mecánico: no dialéctico. Por él se lleva a lo absoluto uno de los términos del problema —la imprevisibilidad— para abstraer de la realidad, llevándolo igualmente a lo absoluto, el otro: la creación. En la realidad —en *toda* realidad— el escritor vive, por el contrario, su «situación» a fondo; forcejea con su ambiente, calcula, y se equivoca o acierta; se arriesga a que su palabra pueda no ser dada o entendida, pero no *temerariamente,* porque quiere actuar sobre las circunstancias que vive, aun en el caso de que crea desdeñarlas. Un sencillo ejemplo de que mi compañero no deja de contar con tales realidades para facilitar la difusión de su palabra nos lo proporciona la misma cita donde lo niega, y donde, en lugar de llamar a las cosas por su nombre, las llama «aparato de control».

[...] Cuando yo critico el «imposibilismo» y recomiendo la posibilitación, no predico acomodaciones; propugno la necesidad de un teatro difícil y resuelto a expresarse con la mayor holgura, pero que no sólo debe escribirse, sino estrenarse. Un teatro, pues, «en situación»; lo más arriesgado posible, pero no temerario. Recomiendo, en suma, y a sabiendas de que muchas veces no se logrará, hacer posible un teatro «imposible». Llamo, por consiguiente, «imposibilismo» a la actitud que se coloca, mecánica y antidialécticamente, «fuera de situación»: la actitud que busca hacer aún más imposible a un teatro «imposible» con temerarias elecciones de tema o expresión, con declaraciones provocadoras, con reclamos inquietantes y abundantes, y que puede llegar tristemente aún más lejos en su divorcio de la dialéctica de lo real: a hacer imposible un teatro... posible.

A. Buero Vallejo: «Obligada precisión acerca del *imposibilismo*», *Primer Acto*, núm. 15, 1960, pp. 3-4.

LA SIGNIFICACIÓN, PRINCIPIO SUBORDINANTE

En el artículo que citamos, el escritor Gonzalo Torrente Ballester formula con notable penetración algunos rasgos característicos del teatro bueriano, sosteniendo que todos sus elementos se subordinan a una «segunda» significación de naturaleza ética.

3.   Pienso que la significación es el principio subordinante de todos los elementos del teatro de Buero Vallejo. [...] El *allende*, la *significación*, no aparece en todas las obras de Buero con la misma claridad, entre otras razones porque en la mayor parte de ellas existe una doble significación: la primera, inmediata, y mediata la segunda. [...] Las que cumplen tales requisitos presentan la siguiente serie de ingredientes: 1. Una acción o situación generales, que el autor inventa o toma de la tradición histórica y literaria o de la realidad. 2. Una serie de personajes «en situación», inventados o reinventados. 3. Una significación inmediata, que actúa de principio subordinante de la obra en cuestión. 4. Una significación mediata, común, si no a todas las obras de Buero, a un grupo importante de ellas. Esta *significación mediata* está constituida por un pensamiento sobre *el hombre* o los hombres en general y por una *actitud humana, moral,* ante ellos, vivida por el autor y que constituye el núcleo de su mensaje. La sustancia, pues, del teatro de Buero Vallejo es de naturaleza *ética* y no *estética*. Y se produce en él la paradoja de que, viéndose en la necesidad de convertir a sus personajes en figuras *unívocas* (lo cual siempre equivale a despojarlos de alguna de sus riquezas para limitarlos a aquello que sirve adecuadamente a la significación), el mensaje ético mediato de que son portadores les devuelve esa riqueza que, funcionalmente, habían perdido. Y esta misma significación última es lo que confiere unidad a piezas de apariencia, y aun significación inmediata, tan distinta como *Historia de una escalera* y *Madrugada*. Buero es un dramaturgo social *sólo en la medida en que es un dramaturgo ético*. Buero se atiene indistintamente a la realidad actual, al pasado histórico o a la fábula de origen poético, porque materiales tan diversos le sirven a la significación mediata. Buero utiliza formas dramáticas tradicionales (tres actos) o modernas (estructuras narrativas), no por preferencia de principio estético o escuela, sino porque unas u otras sirven al *caso presente (Madrugada* o *El soñador...)* mejor que otras para que sus significaciones varias queden perfectamente expresadas. En resumen: *el principio subordinante último de todos los elementos del teatro de Buero es su significación ética.*

G. Torrente Ballester: «Nota de introducción al teatro de Buero Vallejo», *Primer Acto*, núm. 38, 1962, pp. 13-14.

LA «VISIÓN TRÁGICA»

*Ricardo Doménech confronta aquí el mundo dramático de Buero con
los rasgos en que analiza Lucien Goldmann la «visión trágica» en su
libro* Le dieu caché *(traducción castellana:* El hombre y lo absoluto, *Barcelona, Península, 1968). El aludido resumen de estos rasgos se encuentra en la página 89 de la edición castellana.*

4. Veamos las sucesivas correspondencias que ofrece el teatro de Buero
en relación con los elementos fundamentales de la «conciencia trágica»,
tal como los resume Goldmann, y que a continuación desglosamos en
varios puntos —aunque respetando su enunciado— para mayor claridad expositiva:

1.º El carácter paradójico del mundo. (Es el mundo de los personajes
contemplativos: insuficiente e inclusive hostil frente a su aspiración radical, al tiempo que único ámbito donde poder intentarla.)

2.º La *conversión* del hombre a una existencia esencial. (Todos los
contemplativos viven para lo imposible: esta es su existencia esencial.)

3.º La exigencia de verdad absoluta. (Todos los *contemplativos* —sin
excepción— buscan denodadamente la verdad absoluta y tratan de afir-
marla en el mundo.)

4.º La *negación* de toda ambigüedad y de todo compromiso. (En vez
de compromiso, quizá fuera más claro decir aquí: *pacto* o *componenda.)* (Puede apreciarse suficientemente en el rechazo que hacen los *contemplativos* —desde Ignacio hasta Julio— de las soluciones falaces y
tranquilizadoras, e incluso de los términos medios.)

5.º La *exigencia de síntesis* de los contrarios. (Es afán perceptible en
el teatro de Buero desde muchos supuestos, pero sobre todo en lo refe-
rente al intento de síntesis misterio-realidad, teatro *totalizador,* etc.)

6.º La *conciencia de los límites* del hombre y del mundo. (La experiencia de cada personaje *contemplativo* es siempre ésta, en tanto que
su aspiración radical le lleva a rechazar por insuficiente el plano de lo
posible.)

7.º La soledad. (Tema, según hemos visto, permanente en las obras
de Buero. Jean-Paul Borel [...] ha visto en las taras físicas un símbolo
de la soledad. Soledad que puede verse también en personajes no lisia-
dos, como Velázquez.)

8.º El abismo infranqueable que separa al hombre del mundo, de Dios. (Como ejemplos del primer caso, baste recordar figuras como Ignacio o Irene; del segundo, los fragmentos [...] de *Irene, o el tesoro* y de *Hoy es fiesta.*)

9.º La *apuesta* sobre un Dios cuya existencia es indemostrable, y *la vida exclusivamente para este Dios* siempre presente y siempre ausente. (Supuestas la complejidad y la diversidad de formas simbólicas como aparece la idea del Dios trágico en el teatro de Buero, encuentro en el modo como Ignacio *espera* alcanzar la luz, un ejemplo —altamente representativo— de esta *apuesta*. Manifiesta el personaje: «...nos dicen incurables, pero, ¿qué sabemos nosotros de eso? Nadie sabe lo que el mundo puede reservarnos; desde el descubrimiento científico... hasta... el milagro».)

10.º La *primacía de lo moral* sobre lo teórico y sobre la eficacia. (Sobradamente lo hemos podido comprobar a través de la antinomia *contemplativos-activos.*)

11.º El abandono de toda esperanza de victoria material o simplemente de futuro. (No puede aceptarse este punto respecto a la obra de Buero, y conviene recordar que, páginas atrás, hemos visto cómo y por qué se da en él una *conciencia histórica* compatible con su conciencia trágica.)

12.º La salvaguarda pese a todo de la victoria espiritual y moral, la salvaguarda de la eternidad. (Victoria espiritual y moral, porque el sacrificio de los *contemplativos* nunca es inútil: ha redimido a *otros;* salvaguarda de la eternidad, porque si existiera ese Dios por el que ha apostado el hombre trágico, estos *contemplativos* podrían presentarse desnudos, con dignidad y sin vergüenza, ante él.)

Cuanto antecede es ya suficiente —creemos— para afirmar que existe una adecuación entre la «visión trágica» y el teatro de Buero.

R. Doménech: *El teatro de Buero Vallejo*, Madrid, Gredos, 1973, pp. 295-7.

II. En torno a *El tragaluz*

NOTICIA DE LA PUESTA EN ESCENA

El director José Osuna explica en estas líneas cómo se resolvieron, en la representación del estreno, algunos problemas técnicos que el texto dramático plantea, particularmente los que se refieren al decorado y a la iluminación.

5.   En cuanto al decorado, pensé que era imprescindible concebirlo desde un punto de vista distinto al enfoque habitual de una representación
normal. En consecuencia, como elemento fundamental del mismo se
construyó un plano inclinado con un veinte por ciento de desnivel, sobre el que se movieran los personajes. (El desnivel normal de un escenario no pasa nunca de un cinco por ciento.) Este plano inclinado debería, además, estar rodeado de otros más altos que acentuaran esa sensación de pozo a la que tan insistentemente se refiere el texto. Siguiendo
este criterio se montaron el bar y la oficina en plataformas superiores,
modificando un tanto la estructura del complejo escénico que pide Buero en la acotación. De este modo, y montando esas plataformas sobre
carros móviles, podía también disponer de un mayor espacio escénico
en la habitación central, lo que era bien importante, ya que me intere-
saba sobremanera que los personajes, en determinadas situaciones, es-
tuvieran ampliamente separados.

    Y todo ello ante un fondo de material transparente que permitiera in-
sinuar su condición conformada por la luz, sin necesidad de pretender
un rigor absoluto de ciencia-ficción. Efecto éste que también se procuró
en algunos momentos con determinados muebles. [...]

    La iluminación fue el problema fundamental de la puesta en escena
y a lo que se confirió una mayor importancia en el montaje. Siempre
había imaginado a los personajes como elementos espaciales y no tenía
otro instrumento más apropiado para configurarlos como tales que la
luz. En el aspecto de las convenciones de ciencia-ficción y realismo debían conjugarse de modo prudente y armónico. No podía pretender un
verismo de proyectores espaciales que crean formas, pero no podía tampoco olvidar que en el desarrollo de la obra se habla a menudo de ellos,
incluso con alusiones muy concretas a su comportamiento en determinados momentos. Estaba forzosamente condenado a una cierta servidum-
bre de detalles de los que no podía prescindir. Además, tenía que
conjugar todo esto con un funcionalismo natural para todo tipo de espectáculo; dos horas seguidas de iluminación «extraña» podían llegar
a ser realmente abrumadoras. Por otra parte, esa función distanciadora
que pretendía encomendar a la luz había de tenerse muy en cuenta en
el esquema y replanteo de los proyectores a utilizar.

    El resultado de todos este planteamiento fue colocar todos los focos
dentro del escenario, algunos de ellos visibles, la mayor parte detrás de
los personajes y ninguno en la sala, salvo para los dos experimentadores. Toda la luz, blanca.

    Muchos otros problemas hubo que afrontar desde un punto de vista
puramente técnico, de los que el mayor fue la proyección del tragaluz.

En el momento que las sombras se proyectan sobre la pared se unifican cinco acciones distintas, y, por lo tanto, el verismo y emoción dramática de la situación. Estas cinco acciones son: *a*) un foco que se enciende y proyecta luz; *b*) dos batientes que se abren delante del mismo foco; *c*) el actor que mima el gesto de abrir el tragaluz; *d*) el ruido ambiente de la calle, y *e*) los viandantes que pasan entre el foco y la pared. A esto hay que añadir las voces y gestos coincidentes de los que pasan y hablan. Un último problema a resolver: los actores tienen detrás de ellos la pared sobre la que se proyecta, ¿cómo hacer para que encajen en su texto, entre los movimientos de las sombras proyectadas, si no pueden volverse a mirarlas?

> J. Osuna: «Las dificultades de mi puesta en escena», *Primer Acto*, núm. 90, 1967, pp. 17-8.

UNA «CONTESTACIÓN» POLÍTICA

Tres días después del estreno, Emilio Romero dedicó a la obra su habitual columna de comentario político en el diario Pueblo. *El hecho resulta revelador. La función del Bellas Artes se había convertido en un «acontecimiento» cuyas dimensiones rebasaban lo estrictamente teatral. Romero comienza afirmando que la obra «es una pieza política» y advierte que va a referirse a ella exclusivamente como tal. Se trata, en efecto, de una crítica del contenido ideológico de la obra, realizada desde las propias y explícitas concepciones del periodista, ciertamente distintas y distantes de las de Buero. (Véanse, relacionados con éste, los documentos números 7 y 11.)*

6.   La idea de la obra es, por lo que se ve, coger o no coger el tren; la moral que se predica en esta obra está en lo que la literatura política llama «conciencia de resistencia». En la España del progreso, de los automóviles, de la revolución industrial, de la nueva legislación social, de la desaparición del analfabetismo, de la paz pública, de la renovación general de las cosas, del acogimiento a quince millones de extranjeros al año —sobre todos los defectos, y faltas, y errores, e injusticias—, la moral del autor de *El tragaluz* se refugia en el sótano. ¡Pues no! Aunque se nos pinte a Vicente como un ciudadano poco ejemplar. Había que coger el tren, y abrir el horizonte a la esperanza de la riqueza, de la

convivencia, de la paz y de la justicia para todos. Y echar por las ventanillas del tren a los canallas que se pudiera.

Los muertos de uno y otro lado estaban en sus tumbas. Todos habíamos sufrido y todos habíamos sido torturados por unos o por otros. Los supervivientes teníamos que agarrar un tren único y asimilar las diferencias. Teníamos que hacer un país habitable, renunciar a la venganza. Y ponernos delante de Dios. [...]

Un ejemplo de la convivencia española en desarrollo es la propia realidad de Buero con su equipaje de ideas intacto, circulando con éxito en la vida literaria y social española. Esta convivencia se resentiría con el monólogo de Buero en los escenarios y el silencio de los críticos. Si el autor aparece involucrado en su obra parece oportuno y sugestivo decir:

Buero escribió en la cárcel su primer teatro, y le premiaron, y estrenó con éxito: ¡Iba en el tren!

Buero recibió luego, en el gozo de la libertad, premios y honras justos. ¡Iba en el tren!

Buero estrenó en los teatros nacionales, en los teatros del Estado, con toda legitimidad. ¡Iba en el tren!

Buero recibió el sábado la clamorosa ovación de todos los que estábamos allí: ¡Sigue en el tren!

Buero es un autor dramático de primera clase. Antes de la guerra civil no existía. Ha escrito, ha triunfado en el tren. No está en ningún sótano con tragaluz. Está con todos los españoles haciendo la España de ahora. [...]

La verdad moral está en lo que haga cada uno en cualquier parte y a cualquier hora: en el tren o en el andén. Una moral social no es otra cosa que el resultado de todos los comportamientos individuales. El gran compromiso de un escritor con la sociedad es denunciarla exclusivamente hasta el límite en que puede reformarse o purificarse; pero nunca más allá, donde se la provoque a otra guerra de exterminio. Un efecto teatral dirigido al público anhela una ovación; cuando ese teatro es político, el público tiene otra dimensión, es ya sociedad, y entonces ese mismo efecto puede provocar un cataclismo.

E. Romero: «Un sótano y el tren», *Pueblo*, 10-X-1967, p. 2.

TEATRO ÉTICO, NO POLÍTICO

José María de Quinto publicó un extenso artículo sobre El tragaluz *después del estreno, en el que, además de una crítica del drama, hace*

una reflexión sobre el teatro de Buero en su conjunto. He aquí un frag-
mento perteneciente al epígrafe titulado «Un teatro eminentemente
ético».

7.   La obra de Buero Vallejo, como la de Sartre, como la de Camus, no
es una obra militante, política, que analice el mundo dentro de determinadas concepciones, sino, por el contrario, eminentemente ética. Y
ética antes que política, como consecuencia de que, contrariamente al
pensamiento sustentado por Brecht de que la política es una superación
de la ética, se entiende en ella, por oposición, que la ética es la forma
superior a la política. Así es que el teatro de Buero, en relación a este
punto, asume un papel distinto al de Brecht; se aproxima más a los de
Jean-Paul Sartre y Albert Camus. [...]
    Pensemos, siquiera sea un momento, en los personajes de Mario y En-
carna en el momento en que se cierra *El tragaluz*. Sueñan con que quizás algún día, los que han de venir, encontrarán la paz. Pensemos en
los de *Historia de una escalera*, en los de *Madrugada*, en los de *Hoy es
fiesta*, en los de *Las cartas boca abajo*. Viven, claro es, un mundo de injusticias —de ahí el carácter testimonial de este teatro—, pero no lu-
chan ni se rebelan contra ese mundo, no saben cuál es el sistema que
puede acabar con él, no entran en la praxis revolucionaria para cam-
biarlo, sino que tratan pasivamente de evadirse de él, bien —caso de Vicente— instalándose en tal mundo, bien —caso de Mario— huyendo de
sus prácticas, tratando de no ser de los que pisotean a los otros. Hay,
pues, en este teatro de Buero Vallejo un acusado determinismo social,
que le identifica, a veces, como en el caso de la biología, con el gran
naturalismo. La historia —para este teatro— no parece ir adelante; no
parecen existir cauces a través de los cuales el hombre pueda llegar a
emanciparse de su actual condición. Únicamente puede hacer —caso de
Vicente— incorporarse a una vida injusta, convertirse en un explotador
de los otros hombres, o —caso Mario— seguir encerrado en ese semisótano, en un mundo interior e inviolado, sin participar en esa a todas luces monstruosa e injusta explotación. O explotador o explotado. Y,
cuando los explicadores de la experiencia —los hombres del siglo
XXIII—, examinan con cierta extrañeza nuestros problemas, advertimos
que han llegado a una situación más justa, pero no a través de soluciones políticas, sino a través de actitudes puramente éticas, que tienen mucho que ver con posiciones alcanzadas a través de un desarrollo de las
teorías existencialistas o cristianas. [...]

No hay duda de que estos lineamientos morales, muy en especial los que se refieren a la culpa y el castigo, son «conditio sine qua non» del mundo trágico, de la más pura y exigente tragedia. En el fondo de sí mismo, Vicente quiere purgar. Sus visitas, cada vez más frecuentes, a la casa de sus padres, al semisótano, a lo más profundo y auténtico de sí mismo, no esconden sino el deseo de encontrar el castigo, de asumir su culpa.

Son, pues, como he tratado de probar, problemas morales, de naturaleza social, los que se debaten en el teatro de Buero Vallejo. Hay una última preocupación por los males que hacemos a los otros. Pero estos males no adquieren, nunca llegan a alcanzar una clara relevancia política.

J. M.ª de Quinto: «*El tragaluz*, de Buero Vallejo», *Ínsula*, XXII, núm. 252, 1967, p. 15.

Significado del semisótano

Los espacios escénicos cobran frecuentemente valores simbólicos en el teatro de Buero Vallejo. En el siguiente texto, Ángel Fernández-Santos interpreta el significado del escenario principal de la obra, el sórdido semisótano. José Monleón lo llama «verdadera cueva de Platón», en la crítica que publicó en Triunfo *(«El retorno de Antonio Buero», en* Teatro español, 1967-1968, *Madrid, Aguilar, 1969, p. 159). Para J. M.ª de Quinto «está ahí en representación del subsuelo donde se hallan los humillados y los ofendidos, en función del lugar más profundo y auténtico donde se repliega el hombre sobre sí mismo en un desesperado intento de evitar verse convertido en un objeto más de los que se compran y venden dentro de la sociedad capitalista, que bulle allá arriba en la calle y puede contemplarse a través del tragaluz»* (art. cit., *en documento núm. 7, p. 15). Iglesias Feijóo lo considera, con el tren y el tragaluz, una de las tres «metáforas escénicas» de la obra* (obra citada, *en documento núm. 13, p. 359).

8.   Hay muchos sótanos y buhardillas en el teatro europeo posterior a 1940. [...]

Sin embargo, de entre la considerable cantidad de «sótanos» y «buhardillas» que nuestra época está proporcionando al teatro, creo que este «sótano» de Buero Vallejo es la primera contribución digna de tomar en consideración que proviene de aquí, del teatro español. De todo cuanto hay de intocable en nuestro país, lo más son nuestras miserias. Y Buero, precisamente, con extraordinaria habilidad, con un dominio pleno del recurso defensivo del subtexto, ha abierto uno de los *sancta sanctorum*. Nuestros submundos son el producto de una esclerosis histórica y, por lo tanto, de una persistencia de la catástrofe. Su drama mueve los hilos de unas vidas cuyos caminos están detenidos en una encrucijada cerrada y sin horizonte y en la que, por única y chocante ocasión, un destino individual ya en el último peldaño, a tras de la muerte, confluye enigmáticamente con la imagen de un tiempo y de un pueblo. La ansiosa sed de identificación del viejo caído se desvela entonces como el hedor que se sube de las ruinas de una guerra. [...]

Buero sitúa a sus gentes separadas por unas rejas de la realidad. La sombra del sótano les ha despojado de los atributos ambientales; son una pequeña muestra de un tiempo detenido. La madre es una criada, degradada por la desgracia; el padre es un loco atado a una investigación absurda sobre cuanto le rodea, una investigación que comienza siempre, a cada instante; la chica es una prostituta, ya lo es, aunque no ejerza; los dos hermanos se enfrentan en una lucha que a mí me parece cobarde, impotente y esquinada, y que sólo el padre, en un momento de energía, que no sé si es su momento de mayor lucidez o de su mayor enajenación, es capaz de decidir matando a uno de ellos. Estos habitantes del submundo están impregnados de las características de su lugar: son seres pequeños y corroídos que no soportan del todo el peso de lo que están representando; tipos a la deriva. Individuos que mantienen su naturalidad en la cuerda floja, siempre al borde de lo grotesco. Buero mantiene bien a sus personajes en ese borde, sin dejarles caer, sin deformarles radicalmente, guardando —como lo hacía en *El concierto de San Ovidio* y *Las Meninas*— equilibrio entre el esperpento y el drama naturalista y consiguiendo una cierta síntesis de ambos.

Á. Fernández-Santos: «El enigma de *El tragaluz*», *Primer Acto*, núm. 90, 1967, p. 6.

UN EXPERIMENTO DISCUTIDO

El «experimento» fue el aspecto dramático más discutido por la crítica. J. M.ª de Quinto, en el apartado que titula «Un experimento perdido», sostiene que éste «cae dentro de los dominios de la forma sin apenas intervenir en el fondo de la cuestión». El tragaluz podría represen-

*tarse sin los explicadores», que «producen la impresión de ser un aña-
dido; [...] el espectador del siglo XX advierte que entre una acción que
le es próxima (porque es suya) y él se interponen unos seres futuros que
entorpecen su posible participación [...]. Y el experimento tengo la impresión de que termina por frustrarse»* (artículo citado, *en documento
núm. 7, p. 16). En el mismo sentido se expresa Alfredo Marqueríe en
su crítica, por lo demás elogiosa. (Véanse los documentos núms. 10 y 13.)*

9.   Buero llama a su obra «experimento». Y alude con ello a una apoya-
tura brechtiana de la acción que corre a cargo de dos personajes del futuro encargados de recomponer la trama de la tragedia y las motivacio-
nes psicológicas de los entes de ficción. Son, en definitiva, dos explicadores y comentaristas que glosan con cierta pretensión filosófica y social el drama que, en escenarios múltiples, se está desarrollando ante los
ojos y los oídos de los espectadores.

Imaginemos por un momento que esos dos explicadores desaparecie-
ran o que no existieran. ¿Sería por ello *El tragaluz* menos inteligible o
conmovedor? Sinceramente creemos que no. Luego cuando una pieza
del mecanismo escénico puede ser eliminable sin daño de la comprensión ni de la emoción, eso quiere decir que no constituye elemento sus-
tancial. A la lírica y a la épica hemos preferido siempre —no es de hoy
esta opinión— la pura dramática.

Y además nos parece que Vicente y Mario y el padre y la madre, aclaran de sobra en el curso del diálogo las razones y las proporciones de
sus problemas sin necesidad de escolios al paño, muletas o andadores.

        A. Marqueríe: «Estreno de *El tragaluz* en el Bellas Artes», *Pue-
        blo,* 9-X-1967, p. 39.

 OPINIONES DEL AUTOR

*Poco después del estreno, el dramaturgo manifestó sus propias opi-
niones sobre algunas de las cuestiones debatidas por la crítica, en una
entrevista con Ángel Fernández-Santos: «Una entrevista con Buero Vallejo sobre* El tragaluz*», Primer Acto, núm. 90, 1967, pp. 7-15. Seleccio-
namos tres fragmentos que se refieren, respectivamente, a los siguientes
temas:*

Importancia de los «investigadores»:

10.   En efecto, esta cuestión de los «investigadores» está trayendo cola.
Hay, como dices, versiones para todos los gustos, pero la más elemental
y generalizada es la de considerarlo como un «pegote», bien «brechtiano» o bien «no brechtiano», pues hay quien no le da esa categoría, o
ese matiz, sino que se limita a considerarlo simplemente como un desacierto dramático.

Yo no creo que sea ni un desacierto dramático ni un «pegote brechtiano». Y, por supuesto, no lo considero un «pegote», sea de la clase
que sea. Para mí, *El tragaluz* sería inconcebible sin estos personajes. No
entiendo esta obra, me resulta literalmente incomprensible despojada de
los «investigadores». E incluso diría algo más *raro:* casi son para mí más
importantes los investigadores que los demás elementos de la obra, a pesar de la importancia que la parte narrada en nuestro presente tiene dentro de ella. Quiero decir que, a efectos de lo que en realidad es *El tragaluz*, los investigadores son insustituibles y la historia investigada no
lo es, ya que pueden encontrarse otras historias de significado semejante al de ésta. No siendo los investigadores personajes propiamente dramáticos, en el sentido de participantes en la acción que vemos desarrollarse, sin embargo, en el más hondo sentido de la palabra «drama», son
precisamente los investigadores quienes justifican la existencia del «drama» en cuanto tal, en cuanto obra de teatro.

Lejos de querer amortiguar con ellos la actualidad o la virulencia que
la obra pueda tener para el público español de hoy, creo que me permiten, por el contrario, sobrecoger aún más a ese público y, por qué
no, tal vez a un público universal de hoy, ya que no se trata de un problema específicamente español, pese a las connotaciones típicamente es-
pañolas que mi obra tenga. Es al público de nuestro tiempo, de los años
oscuros que vivimos, al que trato de sobrecoger sirviéndome de esos investigadores; y al emplear la palabra «sobrecoger», dicho sea de paso,
quiero indicar también que no estoy intentando un efecto «brechtiano»;
pues si los investigadores aclaran racionalmente algunas cosas, también
tienen para mí una función, incluso superior a la de «aclarar racionalmente», emotiva y en ese sentido no del todo acorde con la ortodoxia
de Brecht. La función de sobrecogimiento emotivo es, para mí, fundamental en estos personajes. Tal función nos viene a consecuencia de lo
que dicen, pero lo que dicen no es algo que se traduce simplemente en
una reflexión, sino también en un «temor». Esta combinación de reflexión y temor es la esencia de la función de esta pareja de personajes.
¿Qué sobrecogimiento, qué temor intenta ser éste? Pues el que de una
manera explícita, hacia el final de la obra, formula uno de ellos: «Si nosotros —sabemos que en realidad se está dirigiendo a nosotros, seres del

siglo veinte, pero como si fuéramos ya de un siglo futuro— no os habéis sentido en algún momento como seres del siglo veinte, pero vigi-
lados "ya" por una especie de conciencia futura, el experimento ha
fracasado.»

Es, por lo tanto, esencial para mí el que se produzca una especie de
sobrecogimiento histórico; buscar el medio de que un público de nuestro tiempo entienda, no sólo por vía racional, sino también por vía emotiva, es decir, que entienda y sienta, por un instante, de forma vivencial,
cómo sus mayores porquerías, sus insuficiencias más graves, sus más serias contradicciones podrán ser quizá descubiertas e implacablemente
juzgadas algún día. Y al decir «un día» —sirviéndome de una conven-
cionalidad teatral— digo «ya», ahora, hoy mismo. De hecho, al colocar
unos seres de un futuro siglo indefinido actuando en presente para nosotros, creo que se adelanta esa mirada futura y se convierte en una mirada que converge sobre nosotros y a merced de la cual estamos *ahora
mismo*. Nosotros, hombres del siglo veinte, con nuestros errores y miserias más ocultas, estamos siendo juzgados «ya», aunque para ello uti-
licemos la convención de unos seres del futuro, por una conciencia histórica que ahora mismo está funcionando.

El mismo personaje dice: «Si en algún otro momento no os habéis sentido como seres efectivamente del futuro —es decir, del supuesto presente de la obra, del "tiempo real" de los investigadores— que juzgan ya,
con rigor, con piedad, a aquellos antiguos seres del siglo veinte, tan
distintos, tan hundidos en la insuficiencia, pero, sin embargo, quizá
iguales a vosotros, también el experimento habrá fracasado.» Con eso se
intenta asimismo dar al espectador de nuestro tiempo una especie de
pálpito histórico, de proyección hacia el futuro, con objeto de que
comprenda que, si no él, por lo menos sus descendientes van a ser efectivamente capaces de comprender lo que hoy se comprende mal. Esta invitación a comprender es también, por ello, una invitación del presente
y para el presente; al dar al espectador la posibilidad, siquiera imagina-
ria, de situarse en un tiempo en el que sus problemas ya han sido su-
perados, se le da una ocasión para que juzgue a esos problemas suyos
de inmediato. Y habrá quienes aprovechen la ocasión.

Con todo esto, además, se juega —pero no es un juego— con el tiempo, vivencia fundamental del hombre, que a mí, con problemas sociales
o sin ellos, me sigue pareciendo esencial en la dramaturgia.

(pp. 9-11)

El problema ético: El tren. Acción y contemplación.
Mario y Vicente:

11.   Yo me he limitado a describir el caso concreto de unas personas «que
no pudieron tomar el tren» al lado de otras que sí lo tomaron, como es
el caso del hermano mayor. Ha ocurrido esto: es un hecho. Yo, personalmente, «tomé el tren» cuando pude y como pude, lo que aumenta,
creo, mi deber moral de no olvidar a quienes no compartieron mi suerte. Hablo de «tomar el tren» en el sentido que realmente le corresponde:
en el de «tomar el tren de la vida» y no en ningún sentido restringido
o politizado. Se trata de seguir viviendo y actuando, de no quedarse en
la cuneta, detenido en el tiempo y sin acceso a la vida y a los hechos.
Yo no censuro el hecho de «tomar el tren», creo que esto es evidente; es
más, creo que es necesario que todo el mundo lo tome. Considero que
«el tren de la vida y la acción» debe tomarse... [...] Lo que yo he criticado en el personaje que «tomó el tren» en mi obra no es el hecho en
sí de tomarlo, sino la manera que tuvo de tomarlo y, naturalmente, la
manera que tuvo de seguir viajando en él.
      Por otra parte, soy un escritor de teatro y mi obra es un drama. Más
de tres y más de cuatro críticos han hablado de ingredientes melodra-
máticos; pero mi obra pretende ser un drama, y no un melodrama. Por
eso no se presenta en él, de una forma maniquea, con tintas absolutamente negras a unos personajes y con tintas absolutamente blancas a
otros, ni divido mi obra en una serie de personajes «malos», los que tomaron el tren, y otra serie de personajes «buenos», que no lo tomaron.
Esta simplificación es ajena a mi obra y a mí mismo. El hermano menor procede rectamente, pero si lo llamamos «bueno» cometemos una
esquematización ingenua. Es un hombre que tiene su flaquezas, sus torpezas, sus frustraciones y puntos oscuros, o en qué grado es la circuns-
tancia que le ha tocado vivir la verdadera responsable de ellas, es un problema a discutir. Lo que sí es cierto es que este personaje, aunque tenga
nobles ingredientes, tiene también su parte negativa y acaso su parte negativa es, justamente, la de haberse empeñado en no tomar, de ninguna de las maneras, «el tren»; la de haberse paralizado aposta, conscientemente. Yo no defiendo a este personaje de una manera absoluta.
No me complace la idea de defender a ultranza a un paralítico voluntario. Me limito a presentar un hecho que considero al mismo tiempo
real y trágico, que tiene sus disculpas, sus razones de ser, pero que yo
personalmente no apruebo, aunque, por razones diversas, me quedaría
con el menor, si me obligan a escoger entre los dos hermanos. Sin com-

partir sus reacciones las siento más próximas a mí que las del hermano mayor. Me parece un tipo más interesante y más humano. Pero, hacia el final de la obra, le hago darse cuenta de que no tiene tampoco la razón. Pues en el desarrollo de la tragedia él también tuvo su lado negativo, y el tipo ideal para una conducta equilibrada hubiera sido un hombre intermedio entre los dos hermanos, una simbiosis de ambos, un setenta por ciento del menor y un treinta del mayor. De este último, en resumen, no me gusta su forma de tomar y viajar en el tren, en ese tren que hay que tomar. Del hermano menor no me gusta su resentimiento fraternal.

(pp. 11-12)

Significado del tragaluz:

12.   El tragaluz «es», efectivamente, la plasmación de la problemática del padre... Sabemos que el padre es un hombre psíquicamente trastornado y que, por ello, su visión de la realidad es deforme. Ahora bien, sucede, y esto a mí me parece válido tanto en el sentido dramático y poético como filosófico, que a veces el trastorno mental de un hombre le lleva a intuiciones profundas y lúcidas que la razón vulgar ignora. La pregunta, aparentemente trastornada e incoherente del padre, es elaborada y racionalizada por el hijo menor, convirtiéndola en un conato de teoría sobre la realidad. Yo diría que en este preciso sentido padre e hijo sí están cargados de razón. Efectivamente —y en esto entra el arte con todo lo que pueda tener de investigación sobre lo real, o más precisamente de exploración poética de lo real—, muchas veces no logramos obtener una visión justa de la realidad y de las personas, tal vez por un exceso de racionalización previa sobre ellas; en cambio, en otras ocasiones, la observación aparentemente desprevenida e insólita —un tic, una actitud inesperada, como en el caso de mi obra, la aparición repentina de unas piernas a través de un tragaluz— puede revelarnos o, por lo menos, ponernos en la pista de dimensiones muy auténticas de esas personas y su contorno que se nos escapan. El hermano mayor se opone a esa visión de la realidad: la califica de fantasmagorías de mentes enfermas. Sin embargo, no acaba de creerlo del todo, puesto que el tragaluz, todo lo que representa, va calando poco a poco en él e inquietándole progresivamente. Sin embargo, niega. No es posible conocer el mundo de esta manera anómala y absurda. Pero el hermano menor insiste: por

ahí existen profundas vías de conocimiento. De esta forma, el tragaluz
es efectivamente la problemática del padre, pero también una muestra
de las raíces interiores de la rivalidad entre los dos hermanos. Y esta dimensión, además de inseparable, es tan fundamental como aquélla.

Bien. Yo creo que el hermano menor tiene razón en este punto. Estamos en el terreno de la poesía y dentro de ésta lo anómalo y lo desusado
nos da ese acceso nuevo, refrescante, a determinadas realidades que, racionalmente, parecían estar exangües, agotadas. Por esa razón, indepen-
dientemente del papel dramático que en la obra puedan cumplir, con
su respectivo claroscuro, los dos hermanos y el padre, en lo que respecta
a ese conato de teoría de aproximación a la realidad por vías anómalas,
que se plasma en el tragaluz, la obra me parece válida.

(pp. 12-13)

Valor simbólico de «el padre»

*Abundan en la obra los elementos —como el tragaluz, el sótano o el
tren— dotados de una significación segunda o «mediata», es decir, que
pueden considerarse símbolos. El padre es el personaje que más intensamente reclama una interpretación simbólica. El drama mismo sugiere, en forma de interrogante, su posible relación con Dios. He aquí la
respuesta de Iglesias Feijóo, que pone en relación este problema con el
«experimento». Se han suprimido las notas y las referencias a páginas
de la obra.*

13.   El padre preguntaba por cada uno, 'velaba' por todos, incluso los ya
muertos; en el siglo XXX, el hombre hace lo mismo: «Compadecer, uno
por uno, a cuantos vivieron». La «investigación» que Mario imaginaba
(averiguar quién fue cada uno de los hombres), que él identificaba con
el «punto de vista de Dios», ha sido conseguida, al menos en gran parte,
por los seres del futuro, que, como dice justamente Chambordon, «casi
son una reencarnación del padre». [...] Queda explícitamente aclarado
que «Un ojo implacable nos mira, *y es nuestro propio ojo*. El presente
nos vigila; el porvenir nos conocerá, como nosotros a quienes nos precedieron». El «punto de vista de Dios», que «nunca tendremos», según
creía Mario, lo tenemos ya, en cuanto seres del siglo XXX: es el punto de
vista del hombre y, en este sentido, como seres del siglo actual, podemos
también alcanzarlo.

De esta forma, el deseo de Vicente de que Dios estuviese oyendo su confesión se ha cumplido y de ahí su equivocación al creer que «nadie es castigado». El «Yo» de El padre, cuando su hijo pregunta ante él quién terminará con las «canalladas», es terminante: el hombre puede juzgar y castigar. [...] Cada ser humano es Dios, juez de sus semejantes y a la vez reencarnación suya. Ahora se aclara la metafísica inmanente que subyacía en varias de las obras anteriores y que no era posible entonces desentrañar por completo. El hombre es responsable de lo que hace a otros hombres y sus acciones le serán tenidas en cuenta por un Juez, que no es otro que el tribunal de los hombres del futuro. Pero esto significa que, en la medida en que ellos son continuación de los que hoy viven, ese tribunal está ya constituido *ahora*. El sentido de la obra no es, en consecuencia, muy diferente del que se encierra en una frase de *Lazarus Laughed*, de O'Neill: «¡La grandeza del Hombre consiste en que ningún dios puede salvarlo... si él mismo no se convierte en dios!»

L. Iglesias Feijóo: *La trayectoria dramática de Antonio Buero Vallejo*, Santiago de Compostela, Universidad, 1982, pp. 366-7.

Orientaciones para el estudio de *El tragaluz*

1. Estructura dramática

Un análisis de la obra debe comenzar por distinguir el *experimento* de la *historia* recuperada y establecer las relaciones entre uno y otra (véase 1). El estudio de tales relaciones permitirá abordar la cuestión más debatida por la crítica (Documentos núms. 9 y 10):

> 1. ¿Es el experimento un añadido eliminable o forma parte esencial de la estructura del drama? ¿Afecta sólo a la forma o también al contenido?

El experimento fue un hallazgo posterior a la concepción de la historia familiar. José Osuna lo ha relatado: «Buero me llamó un día y me contó la obra de cabo a rabo, pero sin experimentadores. Al finalizar, me dijo: 'Hay algo que falta, hay algo que tengo que meter ahí y que no veo claro, pero deseo desarrollar todo mi pensamiento; así que no sé si voy a crear un coro o si voy a transformar el juego de los personajes, porque noto que hay cosas que se me han quedado dentro y que tengo que decir en esta obra.' A los cinco o seis días me llamó para decirme: 'Ya he encontrado la solución.' La solución era los dos experimentadores o narradores» («Coloquios en *ABC. El tragaluz* de Buero Vallejo», *ABC*, 2-VI-1968).

---

2. ¿Cómo debe interpretarse este dato? ¿Es indiferente el orden en que el autor concibe los distintos elementos de una obra? ¿Se trata, por el contrario, de una prueba a favor del carácter añadido —y superfluo— del experimento?

El principio de verosimilitud afecta también (y, acaso, sobre todo) a la literatura de ficción científica. Sabemos que lo imaginado por algunos autores ha sido, incluso, confirmado después por la realidad.

---

3. ¿Resulta verosímil que algún día puedan recobrarse imágenes del pasado? ¿Y pensamientos susceptibles de ser visualizados? ¿Cómo justificar, en tal supuesto, que los sonidos sean «irrecuperables»? ¿De qué manera afecta a la comprensión de la historia saber que las palabras y los ruidos han sido «añadidos»?

En ocho ocasiones intervienen los investigadores interrumpiendo el desarrollo de la historia dramática.

---

4. Resumir el contenido de cada una de las intervenciones de *Él* y *Ella*.

Cada aparición de estos personajes produce un efecto de «distanciamiento»: la historia queda interrumpida y el espectador *cae en la cuenta* de que aquello a lo que asiste no es sino una «representación» (el experimento). Se distancia así del drama familiar, de los personajes con los que, emotivamente, podía haberse identificado.

---

5. ¿Qué palabras de los investigadores están destinadas a conseguir un efecto distanciador? En **8** se ofrece un ejemplo. Cítense otros.

Él y *Ella* interrumpen la historia también para comentarla. Asumen así el papel de «explicadores» que aclaran racionalmente algunos aspectos e informan de otros (ver **1**, **8** y **25**).

---

6. ¿En qué pasajes se pone de manifiesto esta función? La información que suministran en cada uno, ¿es o no necesaria para la comprensión de la obra?

Además de estas dos funciones (distancia y reflexión), que coinciden con las del narrador brechtiano, el autor señala una tercera, emotiva, que se propone conmover al espectador (Documento núm. 10).

---

7. ¿Mediante qué recurso se consigue este efecto de sobrecogimiento? ¿Puede señalarse algún momento en que resulte especialmente predominante?

La investigación emprendida por *Él* y *Ella* es, en definitiva, la misma que plantea El padre cada vez que formula «la pregunta» (véase **14**).

---

8. ¿En qué otros aspectos puede constatarse una relación entre el experimento y el significado de la historia?

No creemos que el experimento confiera a la obra una estructura abierta o narrativa. Más bien la pone en relación, como se ha dicho, con la forma dramática que se conoce como «teatro dentro del teatro». Recordemos que ésta consiste, esencialmente, en que, dentro de la representación de una ficción dramática *primera*, se representa un *segundo* drama, que es ficticio (teatro) respecto del primero, que representa la «realidad».

---

9. ¿Cuáles serían los dramas primero (incluyente) y segundo (incluido) en el caso de *El tragaluz*? ¿Presentan el mismo grado de realidad (o de ficción) los investigadores y los personajes de la historia?

Los personajes del primer drama son «espectadores» de los del segundo. Por eso el público real se identifica con los primeros.

---

10. ¿A qué personajes, pues, se ve obligado a asimilarse el espectador de *El tragaluz?*

Sin embargo, en esta obra el público se encuentra en una posición ambigua, reclamado a la vez por los dos universos dramáticos.

---

11. ¿Qué motivos solicitan también su identificación con los personajes del drama segundo (la historia)? Defínase la relación del público con los dos grupos de personajes.

Nos encontramos, pues, ante una *variante* del «teatro en el teatro». En este caso el drama segundo no es el resultado de una representación teatral sino que *se proyecta* en el experimento. Por otra parte, en *Hamlet*, de Shakespeare, o en *Esta noche se*

improvisa, de Pirandello, son personajes del drama primero los
que representan, como actores, a los personajes del segundo
drama.

---

12. ¿Cómo se relacionan, sin embargo, los investigadores
y los personajes de la historia? ¿Existe alguna posibilidad de
contacto entre unos y otros? ¿Sería concebible, por ejemplo,
que *Él* y *Ella* dialogasen con Mario, con Vicente, con El padre o que entraran en los lugares de éstos, en el semisótano,
en la oficina, etc.?

Si en el terreno de la ficción se trata de un experimento científico, lo que se lleva a cabo de una manera *efectiva* es un experimento de *participación teatral.* En la intervención que sigue
a la muerte de Vicente, *Él* explica claramente qué se pretende
con el experimento.

---

13. Identifíquese la réplica a que nos referimos y explí-
quese su significado. De acuerdo con la propia experiencia
de lectura, ¿se consigue lo que se pretende o resulta un experimento fracasado?

La obra se presenta dividida en dos partes, sin indicación alguna sobre las unidades menores (escenas, cuadros o episodios)
que integran cada una. La segmentación de éstas no resulta fácil, debido, sobre todo, a la utilización de varios escenarios simultáneamente. Entre las dos primeras intervenciones de la pareja del futuro se pueden distinguir dos unidades: la primera,
centrada en la oficina, presenta y caracteriza a Vicente y Encarna; la segunda transcurre principalmente en el semisótano e introduce a los tres personajes restantes.

---

14. Resumir el contenido de cada uno de estos «cuadros».

La segunda y la tercera aparición de *Él* y *Ella* delimitan una clara unidad de acción dramática, la que tiene lugar en el cafetín entre Mario y Encarna.

---

15. ¿Con qué nuevos elementos se enriquece nuestro conocimiento de la trama y de los personajes? ¿Se repiten «informaciones» apuntadas antes? Anótense unos y otras.

De acuerdo con el criterio que venimos observando:

---

16. ¿Qué unidades («cuadros») pueden distinguirse hasta el final de la primera parte? Enumerar los rasgos esenciales del contenido de cada una.

La estructura de la parte segunda es menos compleja. Cada intervención de los investigadores marca los límites de un «cuadro» en el desarrollo de la historia.

---

17. Delimitar los tres cuadros y resumir el contenido de cada uno.

Rainer Müller considera que «el primer acto resulta un poco largo» («Nota sobre *El tragaluz*», *Madrid*, 27-XII-1967, p. 24).

---

18. ¿Se encuentra la primera parte sobrecargada de elementos? ¿Se podría prescindir de algunos sin que se resintiera la acción dramática ni la comprensión de la obra?

Tomemos en cuenta la tradicional disposición de la materia dramática en «planteamiento», «nudo» y «desenlace».

19. ¿Qué parte o partes de la obra corresponden al planteamiento o exposición del conflicto? ¿Toda la primera parte es expositiva o hay momentos en ella de tensión conflictiva? ¿Contiene la segunda parte pasajes de carácter expositivo? ¿Dónde puede localizarse el nudo o punto de máxima tensión dramática? ¿Y el desenlace? ¿Es posible marcar con precisión la frontera entre uno y otro?

La inserción en la estructura de la obra del último cuadro plantea algunos problemas.

20. ¿Forma parte de la acción dramática? ¿Constituye su verdadero desenlace? ¿O se trata, más bien, de un «epílogo», que transcurre fuera de la acción dramática, después de que ésta haya alcanzado su final con la muerte de Vicente? ¿Es una parte separable del resto de la obra?

Imaginemos una representación en que se suprimiera esta última escena.

21. ¿Se perderían elementos esenciales de la acción? ¿Cómo afectaría la supresión al significado de la obra? Defínase, en consecuencia, la función de este cuadro en la estructura dramática.

2. La «fábula» (la historia)

La «fábula» está constituida, en realidad, por el relato de dos historias: la que sucede en el presente de los personajes (1967) y corresponde a cuanto vemos en escena, y la que ocurrió años atrás, recién terminada la guerra civil, y se nos va revelando paulatinamente en las palabras de los personajes.

---

22. Resumir brevemente el argumento de cada una de las «historias».

La manera de ir descubriendo la historia del pasado constituye un recurso de técnica dramática que vale la pena estudiar.

---

23. ¿Cómo dosifica el dramaturgo las informaciones sobre el episodio de la estación (alusiones que preparan revelaciones posteriores, que despiertan o avivan el interés; relatos incompletos y versiones deformadas; dilaciones y datos que, relacionados entre sí, van prefigurando la verdad... hasta llegar a la revelación final)?

Las dos épocas históricas precisas que sirven de telón de fondo a uno y otro episodio son objeto de tratamiento crítico.

---

24. ¿Cómo aparece tratada la sociedad española contemporánea? ¿Qué aspectos resultan criticados? ¿Cuál es la intención de las alusiones a la televisión, al frigorífico o al automóvil? ¿Qué otros elementos apuntan en el mismo sentido? ¿Y respecto a la inmediata posguerra? ¿Qué rasgos la retratan? ¿Llegan a formularse juicios sobre ella? ¿Directa o indirectamente? ¿Existen referencias a la guerra (civil)?

Las dos historias presentan no pocos paralelismos. Un personaje de la del pasado no forma parte de la historia presente y otro de ésta no participó en aquélla (véase **24**).

> 25. ¿Qué relación significativa une a estos dos personajes,
> Encarna y Elvirita?

He aquí otros paralelismos: tren-tragaluz (ver **4**), tren-oficina,
sótano-sala de espera...

> 26. Complétese la relación. ¿Qué afinidad significativa se
> descubre en cada caso?

Ambas historias están íntimamente trabadas. Es en la del
pasado donde todos los elementos de la historia presente encuentran su sentido (la locura de *El padre,* la marginación de
Mario, el enfrentamiento de los hermanos, etc.). La *verdad* sobre lo
ocurrido en aquella estación se convierte en la clave de los conflictos del «presente». Y este aspecto es el que permite considerar que *El tragaluz* responde a la estructura del «drama judicial», lo mismo que —por citar el ejemplo más ilustre— *Edipo
rey,* de Sófocles.

> 27. ¿Qué coincidencias se advierten al comparar las fábu-
> las de ambas «tragedias»?

La escena culminante se desarrolla, como advertimos en **23**,
en forma de juicio.

> 28. ¿Cómo se reparten entre los personajes los siguientes
> cometidos: juez, fiscal, defensor y testigos? ¿Con qué derecho
> y de qué forma asume cada cual su función? (Véase **9**.)

En esta escena convergen, en fin, las dos historias a que nos
venimos refiriendo.

29. ¿Cómo se produce tal fusión? ¿Resulta Vicente condenado *solamente* por lo que hizo cuando era un niño? ¿Qué
sentido tiene la presencia de dos testigos ajenos al episodio
de la estación?

3. Personajes

Hemos dicho que los personajes buerianos presentan los caracteres individuales de seres humanos concretos y complejos.

30. ¿Confirman los personajes de *El tragaluz* tal afirmación? Si es así, deben señalarse los rasgos que individualizan
a cada uno.

También se ha dicho que se trata de piezas dramáticas subor-
dinadas a la significación (Documento núm. 3).

31. ¿Cómo se manifiesta tal subordinación en cada personaje? ¿Puede considerarse que encarnan ideas? ¿Cuáles, respectivamente? ¿Se advierten afinidades y oposiciones que per-
mitan alguna clasificación?

El padre

32. Trácese un retrato con los rasgos pertinentes desde el
punto de vista dramático.

Su locura lo asimila a un tipo de personaje que se repite en el teatro de Buero Vallejo.

33. ¿Qué características de los locos (o ciegos) buerianos presenta El padre? Locura y lucidez (sus «manías»). El mito de Tiresias. Relación con la soledad. ¿Se convierte en conciencia de algún personaje cuerdo?

Se ha escrito que su presencia introduce en el drama una cierta dosis de humor.

34. Localícense las réplicas en que el efecto humorístico sea evidente. ¿Qué intención o significado atribuirles? ¿Cabe la comparación con el *teatro del absurdo?*

Paradójicamente, este personaje que parece ausente, aparte de su locura, ocupa en realidad la posición central en el conflicto.

35. ¿De qué forma se plasma dramáticamente esta paradoja? Definir su relación con cada uno de los demás personajes.

La significación simbólica, que indudablemente posee, es de una ambigüedad intencionada.

36. ¿Qué réplicas, además de la comentada en **6,** sugieren la relación entre El padre y Dios? ¿Resultan suficientes para fundamentar una interpretación en este sentido? ¿Existen otros posibles argumentos? ¿Es significativa la designación genérica («El padre») frente a los nombres propios de otros personajes? Discútase la interpretación propuesta en el documento núm. 13. ¿Hay otras posibles?

Mario

---

37.   Enumerar los rasgos que lo caracterizan dramáticamente. Defínanse sus relaciones con los restantes personajes.
¿Ama a Encarna desde que se inicia la acción? ¿Cambian sus
sentimientos hacia ella? ¿Cuándo y en qué sentido?

En el curso del diálogo queda identificado como personaje
«contemplativo».

---

38. ¿Cómo encarna Mario la contemplación? ¿Es su único
representante en la obra?

Es, además, consciente de su pertenencia a esta estirpe de personajes buerianos (ver **13**).

---

39. ¿Con qué argumentos defiende la actitud contemplativa ante la vida?

En buena medida es el depositario de la exigencia ética carac-
terística de este teatro (véase documento núm. 11).

---

40. ¿Es un personaje enteramente positivo? Si no, ¿cuáles
son sus errores o sus culpas? ¿Qué sentido tiene el sueño (ver
10)? ¿En qué momento comprende —y explica— Mario su
significado?

Vicente compara a Mario, despectivamente, con Don Quijote
(véase **19**).

41. Paralelismo entre los dos personajes: semejanzas y diferencias. ¿Se puede relacionar al héroe cervantino con algún otro personaje de la obra?

La crítica ha hablado de «cainismo» como trasfondo mítico del enfrentamiento entre los dos hermanos (véase **20**).

42. ¿Parece suficientemente justificada la relación? ¿Presenta un componente cainita la personalidad de Mario? Estudio de los pasajes en que se ponga de manifiesto.

Vicente

43. Caracterización como personaje dramático y relación con los restantes personajes. ¿Mediante qué rasgo puede oponerse a todos ellos?

Es un personaje paralelo —y contrario— a Mario. Representa la opción «activa» ante la vida, conscientemente asumida.

44. ¿Cómo encaja Vicente en el modelo de «personaje activo»? ¿Presenta alguna peculiaridad? ¿De qué manera defiende (o justifica) la «acción»? Valoración de sus argumentos y sus actos (ver documentos núms. 6 y 11). ¿Presenta su personalidad perfiles que puedan considerarse positivos?

Vicente es sin duda culpable; pero, al mismo tiempo —se ha dicho—, es también víctima.

> 45. ¿Víctima de qué? ¿Cuál es el alcance de la condena que recae sobre él, más allá de su «caso singular»?

La maquinaria trágica avanza de manera implacable hasta su terrible castigo.

> 46. ¿Es arrastrado Vicente al desenlace o éste se produce, en alguna medida, con su colaboración? ¿Cómo se interpreta la frecuencia, cada vez mayor, de sus visitas al semisótano? ¿Y qué significado atribuir a su muerte: venganza, justicia poética, exceso demencial de El padre...?

La madre y Encarna

Ricardo Doménech ha escrito: «La madre y Encarna no contienen excesivas complejidades, y su posición en el desarrollo del drama es unívoca y de carácter primordialmente funcional» («Introducción», *edición citada*, p. 37).

> 47. Discútase la afirmación anterior aportando argumentos a favor o en contra. ¿Existe alguna coincidencia en la función dramática de una y otra (ver **12**)?

La madre es el único personaje que, sabiendo (o intuyendo) la verdad, intenta impedir que la investigación se lleve a sus últimas consecuencias (véase **16**). Su empeño está destinado al fracaso en un universo, el trágico, regido por el principio de que «siempre es mejor saber, aunque sea doloroso». En un cierto sentido —antitrágico y antiteatral— este personaje representa una defensa de *la vida*.

48. ¿Está dotada de suficiente poder verbal para defender su actitud? ¿Posee un carácter fuerte que le permita imponer su punto de vista? ¿Comprende (al menos *cordialmente*) desde el principio lo que Mario sólo descubre tras la muerte de Vicente? ¿Qué puede significar que la de este personaje sea la última imagen que se ofrece al espectador (ver **26**)?

También en este caso, la denominación genérica («La madre») es susceptible de interpretación. Suele considerarse el amor materno como el más incondicional, capaz incluso de trascender el juicio moral.

49. ¿Qué relación mantiene con cada hijo? ¿Es realmente Vicente su preferido? ¿Sería su valoración de Encarna otra muestra de lucidez *cordial?* Análisis de su actitud respecto a El padre.

Encarna tiene un pasado propio, ajeno al de la familia protagonista. Durante la primera entrevista con Mario en el cafetín lo relata ella misma.

50. ¿Es una víctima, alguien que no ha subido al tren de la vida? ¿En qué se diferencia su actitud de la de Mario y El padre, víctimas también? El fantasma de la prostitución se cierne sobre ella; ¿es *ya* una prostituta? ¿Evoluciona en el transcurso del drama? ¿De qué forma y en qué sentido?

Además del paralelismo con La madre y del significado que, en su demencia, le atribuye El padre, Encarna es un personaje-espejo en el que se reflejan la personalidad de cada hermano y la rivalidad que los enfrenta (véase **20**).

> 51. Estudio de esta función: ¿Cómo sirve a la expresión de los caracteres de Mario y Vicente? ¿Qué aspectos de cada uno se manifiestan dramáticamente a través de ella?

Otros personajes

La esquinera y El camarero son personajes «mudos». El espectador de la representación los ve; en el texto escrito su *presencia* queda plasmada en las acotaciones. De especial importancia son las que describen a cada personaje en su primera aparición.

> 52. ¿Qué rasgos destaca el dramaturgo en el breve retrato que ofrece de ellos? Resumen y sentido de cada una de sus intervenciones. ¿De qué forma se relaciona La esquinera con Encarna? Función dramática de uno y otro personaje.

Eugenio Beltrán es también un *personaje* del drama, aunque nunca aparezca en escena. Su presencia se advierte, además de en los carteles que reproducen su efigie, en las palabras de Mario, Encarna y Vicente (véase **2**).

> 53 ¿Qué información contienen los pasajes en que se habla de Beltrán? ¿En qué momentos se nota su «presencia» (fantasmal) con más intensidad? Significado y función del personaje. Discusión razonada del carácter autobiográfico que algunos le atribuyen.

4. El tiempo

El tiempo es elemento fundamental en la estructura de la obra. Hay que comenzar por distinguir el tiempo del experimento del tiempo de la historia, ambos ficticios, sin perder de vista el tiempo real de la representación.

El experimento se desarrolla en un futuro que queda sin precisar en el texto. R. Müller lo localizaba en el siglo XXII, J. M.ª de Quinto en el XXIII... Buero Vallejo piensa que podría tratarse del siglo XXV o el XXX.

---

54. Defiéndase una datación del experimento. ¿Cuál es su duración? ¿Coincide con la de la representación teatral?

La historia que los investigadores recuperan del pasado transcurre en «la segunda mitad del siglo XX», según sus palabras.

---

55. ¿Qué elementos permiten fechar con más precisión la acción dramática? ¿Son los personajes y sus espectadores reales rigurosamente contemporáneos (1967)?

Considérese la edad «actual» de los personajes y la que tenían al final de guerra (civil, 1939).

---

56. Determinar la duración exacta del tiempo de la historia. ¿Cómo se marcan las diferentes elipsis o saltos de tiempo (ver 11, 15, 22 y 25)? ¿Se encomienda una función dramática importante al transcurso del tiempo? ¿Asistimos a acciones distintas que ocurren simultáneamente? ¿Mediante qué procedimiento?

Es claro que los planos temporales del experimento y de la historia son paralelos, sin posible contacto. Pero los investigadores dicen aprovechar para su segunda intervención el minuto que tardará Mario en llegar al café (véase **8**).

---

57. Comentario de este pasaje: ¿Puede tratarse de un defecto de construcción? Propóngase alguna interpretación.

El público de la representación se ve solicitado, a la vez, por las dos dimensiones temporales. Como asistente al experimento, pertenece al futuro en que éste se lleva a cabo; pero no puede dejar de reconocer en los personajes de la historia a sus propios contemporáneos. En esta duplicidad se basa el experimento de participación que la obra plantea (Cuestiones 9-13 de estas orientaciones).

---

58. ¿Qué propósito se persigue mediante tal juego de perspectivas temporales? ¿De qué manera afecta al significado de la obra? Valórese la función encomendada al tiempo en la estructura del drama.

---

5. El espacio

La representación de cada uno de los dos mundos dramáticos tiene lugar en un espacio representado diferente. El del experimento queda delimitado en la primera aparición de *Él* y *Ella:* entran por el fondo de la sala y desde ella se dirigen al público; suben después a la escena y continúan su intervención, pero manteniéndose fuera del escenario de la historia, oculto tras el telón cerrado.

59. Determinar con precisión el espacio dramático del experimento: ¿Ocupa el conjunto de la sala y la escena? ¿Qué «personajes», además de *Él* y *Ella*, llenan este espacio? ¿Se produce una dramatización del público, una inclusión de éste en el universo ficticio?

El espacio de la historia se localiza en la escena.

60. ¿Está incluido en el espacio del experimento? ¿Se trata de un espacio cerrado, inaccesible a los investigadores (y al público dramático)?

La oposición entre los dos espacios se expresa sobre todo mediante la iluminación: al experimento corresponde una luz «siempre blanca y normal»; las iluminaciones del espacio de la historia «crean, por el contrario, constantes efectos de lividez e irrealidad».

61. ¿Qué sentido tiene una disposición tal de la iluminación? ¿Es coherente con el planteamiento dramático presentar el experimento (el futuro) como lo real y la historia (el presente) como lo irreal? ¿De qué manera afecta a la participación del público?

El espacio destinado a la historia representa tres lugares que ocupan la escena simultáneamente. Esta estructura produce generalmente un efecto anti-ilusionista.

62. ¿Sucede así en el caso de *El tragaluz*? ¿O está dramáticamente justificado el empleo del escenario simultáneo? ¿Por

qué? ¿Puede afirmarse incluso que produce el efecto contrario, es decir, que acentúa la ilusión de realidad?

La oficina ocupa el tercio izquierdo de la escena, sobre un plano elevado.

63. ¿Qué personaje aparece asociado a este lugar, conta-
giándolo de sus valores (o contravalorees) significativos?
¿Qué razones permiten sostener que Mario y Encarna, que
también pisan este escenario, lo hacen como «intrusos», no
pertenecen en realidad a él?

La altura opone este espacio a los otros dos y lo separa de
ellos. A través de ella queda asociada la oficina con una de las
imágenes centrales del pensamiento de la obra: el tren.

64. ¿Se puede atribuir valor significativo a la altura? ¿En
qué se basa la relación entre la oficina y el tren? Cítense los
lugares del texto en que se sugiere tal relación. ¿Es un espacio de «contemplación» o de «acción»? ¿Cómo puede interpretarse que sólo este espacio permanezca vacío y sumido en
la oscuridad durante la escena final, en el momento de la
esperanza?

El espacio de primer término representa los dos extremos visibles de un tramo de calle, entre los que se alza la cuarta pared
(invisible) del semisótano: a la izquierda, la faja frontal de un
muro callejero; a la derecha, la terraza de un cafetín.

65. ¿Qué personaje, entre los principales, debe considerarse «titular» de este lugar? ¿Existe alguna afinidad significa-

tiva entre éste y los dos personajes secundarios adscritos al mismo espacio? ¿Es un espacio de víctimas? ¿Qué personaje actúa en él como «intruso» (sólo un instante)? ¿Cómo se relaciona Mario con este espacio?

Se trata del único escenario que representa un espacio exterior.

66. ¿Parece fundado considerar que el exterior (la calle) representa el presente, frente a los dos interiores, anclados en el pasado del conflicto original: la oficina-tren y el sótano-sala de espera. ¿Cómo explicar que la proyección final a la esperanza se haga precisamente desde la calle?

El semisótano, que ocupa las dos terceras partes de la escena, constituye el subespacio dramático principal.

67. ¿Qué tres personajes lo definen? ¿Es un espacio de víctimas? ¿Se repliega hacia el pasado o está abierto hacia el presente y el futuro? ¿Puede defenderse que se trata de un espacio de «contemplación»?

La crítica ha atribuido diferentes significados simbólicos a este escenario (Documento núm. 8).

68. ¿Se aprecian ambivalencias significativas (por ejemplo: pozo de oscuridad, pero también de luz, de la verdad; hogar de víctimas, pero también sala del juicio...)? Ofrézcase una interpretación coherente del significado de este espacio.

En la cuarta pared del semisótano se encuentra el tragaluz.

---

69. Resumen y comentario de las escenas en que forma parte de la acción (ver **13** y **18**). ¿Por qué confunde El padre el tragaluz con el tren (ver **4**)? Determinar el valor de este elemento escenográfico en relación con el significado de la obra (véase documento núm. 12).

Precisamente por estar ubicado en la cuarta pared, el tragaluz se convierte en la brecha que comunica el cuarto de estar de la familia con la calle, en primer término, y más allá con la sala, con los espectadores.

---

70. ¿Qué consecuencias se siguen en lo que respecta a la participación del público? ¿Parece justificado que el título de la obra sea precisamente *El tragaluz?*

La articulación lineal de los diferentes espacios dramáticos a lo largo de la representación no resulta fácil de definir. Considerando presente o en funcionamiento un espacio cuando acoge una acción —o, al menos, una presencia— significativa, hemos propuesto en un artículo reciente la siguiente representación del *sintagma* espacial:[1]

---

[1] Cfr. J. L. García Barrientos, «Consideraciones semiológicas sobre el espacio escénico en *El tragaluz»*, *Actas del Coloquio Internacional sobre Semiótica del teatro*, Roma, 25-27 de noviembre de 1983. (En prensa.)

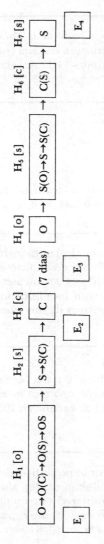

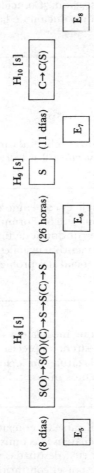

E = Espacio del experimento.
H = Espacios de la historia.
[ ] = Espacio principal (núcleo) de cada cuadro o sintagma de la historia.
O = Oficina.
C = Calle-café.
S = Semisótano.
( ) = Ausencia de diálogo.

71. Cotejar el esquema propuesto con el texto de la obra: verificación o discusión. ¿Coincide la estructura descrita con la obtenida en la resolución de las cuestiones 14-17 de estas Orientaciones?

6. Cuestiones de síntesis

Recuérdese cuanto se refiere al carácter ético del teatro de Buero Vallejo (Introducción, 2 y Documentos núms. 3, 6, 7, 11).

72. ¿Es reductible el contenido de la obra al planteamiento de un problema ético? Formúlese. ¿Puede describirse el conflicto como la conquista de una verdad y el desenmascaramiento de una mentira? ¿Cuáles? Distinguir las dimensiones individual y social del problema. ¿Se trata de una obra política? ¿Por qué?

Para valorar en qué medida era «posibilista» o no la obra en el momento de su estreno es preciso contar con una idea lo más precisa posible de la situación sociopolítica de España en 1967. Véanse los Documentos núms. 1, 2 y 6.

73. ¿Puede verificarse en el texto la actitud posibilista del autor? Si es así, señálense las omisiones, ambigüedades, alusiones indirectas, etc., destinadas a posibilitar el estreno de la obra. ¿Se trata, por el contrario, de un espectáculo capaz de «provocar un cataclismo», de empujar a la sociedad a «otra

guerra de exterminio»? Exprésese una opinión razonada sobre el posibilismo en general.

Considérese lo explicado sobre el carácter trágico de este teatro (Introducción, 3 y Documento núm. 4).

74. ¿Debe considerarse *El tragaluz* una tragedia, de acuerdo con las ideas de Buero al respecto? ¿Qué elementos presentan un perfil trágico más patente? ¿Existen coincidencias con la tragedia clásica? ¿Se puede hablar de conflicto entre libertad y necesidad? ¿Cómo queda afirmada la responsabilidad humana? ¿Y la esperanza?

La «pregunta» es seguramente la clave significativa más importante (ver **6, 14** y **21**). José Monleón la comentaba así: «'¿Quién es? —pregunta Buero, como preguntaba hace poco Jean Paul Sartre, hablando de esa general compasión por los muertos del Vietnam, estéril por su incapacidad de vivir una a una la tragedia de las víctimas—. ¿Quién es ese que muere? ¿O ese que pasa hambre, o ese que es explotado, o ese que ha de callar lo que quisiera decir?' (...) Si el hombre fuera capaz de 'individualizar' a los otros, el mundo cambiaría de la noche a la mañana» («El retorno...», *loc. cit.*, p. 159).

75. Valórese la interpretación de Monleón. Determinar el significado y la función dramática de la *pregunta*.

Recuérdese lo tratado en Introducción, 4.

76. Comentario sobre «realismo y simbolismo en *El tragaluz*». ¿Cómo se proyecta la sociedad sobre el universo dramá-

tico? Los trasfondos míticos. ¿Cómo podría justificarse la afirmación de que se trata de una «obra histórica al revés»? ¿Qué elementos permiten emparentarla con obras como *Historia de una escalera*, es decir, con lo que algunos han llamado «tragedias de la vida vulgar» o dramas que suponen un «proceso a la sociedad española actual»?

Buero Vallejo concede una gran importancia a los problemas de forma dramática y, muy particularmente, al de la participación (Introducción, 6).

77. La estructura de *El tragaluz*, ¿es abierta o cerrada, dramática o épica? Justificación e implicaciones. ¿Utiliza el autor «efectos de inmersión» en la obra (ver 1, 3 y 5)? ¿Se identifica el público en ocasiones con el punto de vista de algún personaje?

Se ha señalado la influencia sobre *El tragaluz* de un drama de Unamuno titulado *El otro*. Por su parte, el propio Buero ha manifestado en una conferencia: «me rondaba el recuerdo, cuando escribí *El tragaluz*, de otra curiosa novela de Wells que yo creo directamente influida por Cervantes y por el *Quijote: El padre de Cristina Alberta*, una novela en la cual un pobre loco se cree Sargón, Rey de reyes» (en *Teatro español actual*, Madrid, Fundación Juan March-Cátedra, 1977, pp. 77-8).

78. En la medida en que sean conocidas las obras citadas (o tenga el alumno posibilidad de leerlas), señálense sus coincidencias y diferencias con *El tragaluz* y valórese el alcance de tales influjos.

En la misma conferencia, el dramaturgo señalaba como las influencias más profundas y constantes en su teatro la de Cervantes y el *Quijote* y la de Calderón, tanto en la vertiente especulativa de *La vida es sueño* como en la social de *El alcalde de Zalamea*.

---

79. ¿Qué relaciones se pueden advertir entre *El tragaluz* y estas fuentes esenciales del teatro bueriano?

SE TERMINÓ DE IMPRIMIR ESTA EDICIÓN
EL DÍA 2 DE SEPTIEMBRE DE 1991

LAUS  DEO